EDUARDO MENDICUTTI

Nació en Sanlúcar de Barrameda, Cádiz, en 1948. Se traslada en 1972 a Madrid, donde obtiene el título de periodismo y se gana la vida haciendo crítica literaria y colaborando en distintos periódicos y revistas. Su primera novela, *Cenizas,* aparece en 1974. Además de ésta, **Tusquets Editores** ha publicado de este autor las novelas: *Siete contra Georgia* (La Sonrisa Vertical 54), *Tiempos mejores* (La Flauta Mágica 18 y Fábula 81), *Última conversación* (La Flauta Mágica 27), *El palomo cojo, Los novios búlgaros, Yo no tengo la culpa de haber nacido tan sexy* y, la más reciente, *El beso del cosaco* (Andanzas 145, 203, 313 y 401). Algunas de sus obras han sido traducidas a varios idiomas.

Libros de Eduardo Mendicutti en Tusquets Editores

ANDANZAS
El palomo cojo
Los novios búlgaros
Fuego de marzo
Yo no tengo la culpa
de haber nacido tan sexy
El beso del cosaco

SONRISA VERTICAL
Siete contra Georgia

LA FLAUTA MÁGICA
Una mala noche la tiene cualquiera
Tiempos mejores
Última conversación

FÁBULA
Una mala noche la tiene cualquiera
Tiempos mejores
Fuego de marzo

Eduardo Mendicutti

Una mala noche
la tiene cualquiera

FABULA
TUSQUETS
EDITORES

1.ª edición en colección La Flauta Mágica: octubre 1988
1.ª edición en Fábula: octubre 1994
2.ª edición en Fábula: marzo 2001

© Eduardo Mendicutti, 1988

Diseño de la colección: Pierluigi Cerri

Ilustración de la cubierta: Rod (1977), de Mel Odom,
dibujo de 21 x 30 cm., para la revista norteamericana *Blueboy.*
Reproducida con la autorización del Mel Odom

Reservados todos los derechos de esta edición para
Tusquets Editores, S.A. - Cesare Cantù, 8- 08023 Barcelona

ISBN: 84-7223-832-6
Depósito legal: B. 7.632-2001
Fotocomposición: Foinsa - Passatge Gaiolà, 13 - Barcelona

Impresión y encuadernación: GRAFOS, S.A. Arte sobre papel
Sector C, Calle D, n.º 36, Zona Franca - 08040 Barcelona
Impreso en España

1

Qué sobresalto, por Dios. El Paco se fue a su casa, en taxi, que cuesta un dineral hasta el pueblo de Vallecas, y yo me vine a la mía, a encerrarme con siete llaves, nerviosísima, que hacía siglos que no me sentía tan descontrolada, ni siquiera por un hombre. En seguida puse el loro, o sea Radio Nacional, pero allí sólo daban música de zarzuela; bueno, para mí que era zarzuela. Me quedé quieta, en cuclillas, pegadita al transistor, a ver si decían algo, si daban el parte. Claro que cuando yo llegué a casa y puse el transistor eran sólo menos diez —las ocho menos diez—, me acuerdo divinamente, y hay que ver cómo son siempre de puntuales esas mujeres de Radio Nacional; una cosa mala, puntuales hasta morir. Qué coraje. Allí estaba yo, con el corazón en un puño, arrugadita como un perrillo enfermo, lo mismo que la Bautista en *Locura de amor* junto al ataúd de su hombre —que menudo pendón tenía que ser el gachó, todo hay que decirlo— y las de Radio Nacional impertérritas, oye, hay que ser sangregordas. Y a mí es que iba a darme algo: un ataque, un soponcio, una alferecía. Malísima me estaba poniendo. Una descomposición de cuerpo estaba entrándome que no la puedo ni explicar. En cinco minutos que faltaban para las ocho a lo mejor me daba tiempo a prepararme algo. No quería perderme del parte ni media palabra. Claro que yo necesitaba algo urgentemente: una tila, un Valium, lo que fuera. Un tío. La verdad es que a mí lo que me arregla el cuerpo es un tío, y hasta creo que lo dije en voz alta. Qué espanto. Menos mal que no me escuchaba nadie.

Qué número, por Dios, como en Sudamérica: hala, a tiro limpio, todas al suelo, se acabó lo que se daba, guapos. Qué cosa más ordinaria. ¿Qué nos iba a pasar ahora? Ahí pudo servidora comprobar que nada hay más malo que no saber, qué angustia. Y dieron las ocho y las de Radio Nacional como si nada, mudas; igual habían caído todas muertas. Eso sí, yo de Radio Nacional no me cambiaba ni loca. Algo tendrían que decir. Lo mío por Radio Nacional ha sido siempre una devoción, desde que era chica. Bueno, desde que era chico, que con esto de mi juventud me hago un lío horroroso. Nunca sé por dónde tirar. A veces lo pienso, y es como si no fuera conmigo: La Madelón no tuvo juventud, nació con la verde. Ahora a la cartilla militar le llaman la blanca, porque es blanca —por lo menos la de los paracaidistas—, pero antes, en mis tiempos, le llamábamos la verde, porque era verde. Si es que una cuando se pone a explicarse es una eminencia. Ya me lo decía mi madre, que en gloria esté, la pobre: «Manolito, tú como Pemán». Y es que a mí de chavea, aparte de disfrazarme de la Rivelles en *La leona de Castilla* y de Lola Flores en *La Marquesa de Benamejí*, me daba por escribir y me salían unos versitos preciosos. Luego lo dejé porque siempre me salían los mismos, para qué voy a decir otra cosa. Lo que no dejé fue aquel empeño de ser artista, que para eso estaba La Mediopolvo —una de mi pueblo— que viajaba a Madrid una barbaridad y siempre me contaba cómo era de maravilloso en la capital el mundo del teatro. Así que nada más terminar la «mili» me vine a Madrid, que allí en mi pueblo uno no podía realizarse ni nada —un pueblo grande, precioso, que se estudia en la escuela porque allí desemboca el Guadalquivir— y como a los cinco meses, aquí en Madrid, nació La Madelón. Al comienzo, de tapadillo. Servidora y La Begum —que por entonces todavía quería llamarse Fátima, porque sonaba medio moro y medio cristiano y le daba menos apuro, que eso de La Begum queda mono y tiene la mar de empaque, pero resulta un poquito exagerado, la verdad— nos pasábamos horas pintándonos como un coche, a escondidas, en el cuarto de la fonda, por Argüelles, delante de aquel espejo chiquitísimo en el que nos teníamos que mirar por turnos. Qué tiempos. Ayer como quien dice. De pronto, no sé por qué, allí pegado al transistor y en cuclillas, que ya me empezaban a doler las corvas, me dio por pensar en todo aquello, en nuestros primeros meses en Madrid, nuestro primer trabajo de dependientes en una mercería grandísima que todavía existe, junto a la Puerta del Sol, pegadita a la Dirección General de Seguridad —nos hicimos la mar de amigas de un montón de grises, casi todos andaluces o extremeños, o sea paisanos, y guapos de morir—, nuestras noches del sábado en las tascas de Echegaray, que se ponían de bote en bote de gente de ambiente, y aquellas maravillosas tardes de domingo en el cine Carretas, cuando aún se hacían las cosas con un miramiento y una compostura y lo mismo te hacías a un conde o a un marqués de los de antes, de los de verdad... Aquello fue mi juventud, o sea la juventud de Manuel García Rebollo, que es mi gracia. La Madelón nació después y, como cualquier mujer divina que se precie, no tiene pasado.

Cuando pienso que La Madelón —o sea, servidora de un tiempo a esta parte— no ha tenido juventud, me entran unos repelucos la mar de dramáticos. Claro que, para repelucos, los de aquella noche de febrero. Para mí que por Radio Nacional lo que daban era *La Verbena de la paloma*, pero luego me dijeron que no, que era música militar; o sea, «El novio de la muerte» o algo así, me imagino. Qué raro que a mí no me sonara, con lo que es una para lo militar. Pero tampoco me extraña, que lo descompuesta que yo estaba es como para no creérselo. Y, para colmo, La Begum sin aparecer. ¿Dónde se habría metido? De pronto me dio por pensar en eso. Claro que la gachí lo mismo estaba en primera fila, hala, como en el hipódromo; inconsciente siempre fue como para eso y para mucho más. Y las de Radio Nacional seguían en plan Belinda, qué mujeres. Así que, como no había noticias, con algo tenía que entretenerme, y me dio por pensar que La Begum estaba ya camino de un campo de concentración. Una es así de novelera. En seguida pienso en cosas horribles. Tampoco es que una sea de mucho pensar, las cosas como son, pero de vez en cuando sí que me gusta, me encuentro yo de lo más intelectual y de lo más etérea, sobre todo porque casi siempre pienso en cosas de mucho sufrir y me encanta. De modo que ya veía yo a mi Begum hecha unos zorros, sin pintar y sin nada, rodeadita de porquería y de unos soldados alemanes maravillosos de guapos, y ella en los huesos, demacrada, zarrapastrosa, pero divina a pesar de todo, lo mismo que Vanessa Redgrave en *Julia*, qué mujer tan ideal. Yo de repente es que no cabía en mi cuerpo con sólo pensar en aquella chiquilla suelta por ahí, con la que podía armarse en cualquier momento. En circunstancias así, una se siente como una madre, no puedo remediarlo. Y eso que La Begum sólo es un año más joven que yo, las cosas claras, pero es que se comporta como una criatura: se desquicia en cuanto ve a uno con cara de mojamé. Y mira que hay. Cantidad. Pues por ahí andaría, detrás —o más bien delante y boca abajo— de un Hassan cualquiera. Si es que se pierde. Y aquella noche se podía perder del todo. Yo no lo podía comprender. ¿Es que no se había enterado de nada? Pero si a las siete y media de la tarde —a los diez minutos justos de que empezara la movida— ya lo sabía todo Madrid... En la calle me enteré yo. Iba de lo más maqueada, bajando desde la Telefónica —había venido en el Metro y salí por José Antonio— hacia Callao, que había quedado con mi Paco en la puerta de la cafetería Nebraska, la grande, la que está enfrente de la cafetería Zahara, y venga a pasar coches de la pasma armando una bulla espantosa, y yo diciéndome ¿qué pasará?, pero no pregunté, que ya una llama suficientemente la atención de por sí como para andar encima por ahí preguntando cosas. De modo que me aguanté como pude la curiosidad, y eso que todo el mundo hacía corrillos en las aceras y mi Paco andaba por allí, por delante de la cafetería, mirando de un lado a otro, con esa cara de retrasadillo mental que se le pone a veces al angelito —en compensación, Dios le dio otras cosas muy desarrolladas— y hecho un brazo de mar, con su traje gris marengo con chaleco, su camisa celeste, su corbata burdeos, su abrigo azul marino: guapo de desmayarse. A mí, la verdad, como me gusta mi Paco es con uniforme de conductor de autobús —ay, un uniforme es un uniforme y una reconoce su cojera—, pero la verdad es que aquella tarde mi Paco estaba guapísimo vestido de corriente. Así que me colgué de su brazo, muy peliculera, y le pregunté ¿qué es lo que pasa, nene?, y él, que tiene una facilidad graciosísima para imaginarse cosas, me dijo no sé, tú, seguro que es la ETA. Porque eso sí, venga a pasar coches de maderos con el pito a tope: lecheras atiborradas de policías de uniforme y coches camuflados de la social. Planes, lo que se dice planes, no teníamos ninguno, lo único que teníamos que pasarnos por la tienda de unas amigas, de esas que van de discretas por la vida, dos chicos muy majos, la verdad —son filatélicos y numismáticos, y a mí eso siempre me ha sonado como a vicio de la India o de por ahí, cosa del *Kamasutra*, algo como incestuoso y hereditario, pero bien visto, un vicio como muy tranquilo, aunque de muchas posturitas—, porque tenía que encargarles un juego de monedas del Mundial 82 para un novio legionario que venía a verme algunos fines de semana, desde Leganés —mi Paco de eso no sabía ni palabra; mi Paco no sabía ni palabra del rollo de los paracaidistas; mi Paco estaba en Babia (bueno, eso pensaba yo: a lo mejor lo sabía todo y le importaba un higo)—. Allí, en la tienda, me lo dijeron: «Ha entrado la Guardia Civil en el Congreso, y los tienen a todos secuestrados».

Así que allí andaban lo que se dice todas, la *crème de la crème*, por la moqueta, y las cosas, a las ocho y cuarto de la tarde, debían de seguir igual, porque en la radio seguían sin decir ni pío. A mí estaba a punto de darme el ataque. ¿Qué sería de nosotras? Lo mismo les daba por volver a lo de antes. Qué sofoco. Agua de azahar me hubiera venido de perlas. Bueno, cualquier cosa. Un té, una manzanilla, algo que me entonase el estómago, que lo tenía engurruñido del susto. ¿Y qué iba a pasar ahora con la libertad? Me dio por pensar en eso. Y es que a mí me hace falta la libertad. Porque, si no, a ver de qué como. Qué espanto. Seguro que al final acabarían matando a La Madelón —ataúd forrado de raso granate, corona de nardos, hábito de las Arrepentidas— y habría que resucitar a Manolito García Rebollo, natural de Sanlúcar de Barrameda —tierra de los langostinos y de la manzanilla—, hijo de Manuel y de Caridad, soltero, de profesión artista. «O sea, maricón», se vio que pensaba el de la ventanilla de la Comisaría, la última vez que fui a renovar el carné de identidad. Y eso que me vestí de macha, más o menos. Pero es que en el carné de identidad una sigue siendo Manuel García Rebollo, con mi cara lavada y mi pelo recogido lo mejor posible, esta carita mía de

16

chaval extraviado —la verdad: extraviadíiiiiiiisi-
mo. Pues seguro que había que resucitarlo —a
Manolito, quiero decir—, qué horror, con lo mal
que lo pasaba el pobre. No lo quería ni pensar. Si
lo pensaba es que me moría. En realidad, estaba a
punto de desmayarme. Me levanté y decidí que
tenía que hacer algo. Lo que fuera. A lo mejor lo
que había que hacer era echarse a la calle. Yo tenía
medio escondido en el ropero veinte mil duros. Los
cogía, me ponía mis pieles y mi fular y me acercaba
a la Plaza de Neptuno y, si las cosas se ponían feas,
pues me tiraba al monte, hecha una maqui. Qué
espanto. Algo semejante sólo se le podía ocurrir
a una mujer como yo. Una mujer loquísima. La
que más.

De pie, sola y horrorizada en medio del saloncito, desesperada ya de oír alguna noticia por Radio
Nacional, me toqué suavemente la cara con las
palmas de las manos y me di cuenta de que estaba
ardiendo. Seguro que tenía una calentura espantosa, por el disgusto. Y el caso era que mejor para mí
si me iba acostumbrando. Porque seguro que aquellos salían de allí como los nazis —que hay que ver
cómo eran, qué barbaridad—, organizando cacerías
de maricas y unas orgías fenomenales, regando los
geranios y los jazmines hasta achicharrarlos con la
sangre hirviendo de los judíos, los gitanos y las
reinas de toda España.

Y La Begum, la muy locaza, sin aparecer. Seguro que tenía el Corán metido hasta las amígdalas, y todo lo demás se lo habría dejado la tía desconectado. Ella es así. Incansable. Despegada. Y zoquete. Sin ningún fundamento. Yo la quiero mucho, pero las cosas como son. A esa mujer, a La Begum, es que le importa un rábano todo lo que no sean los bajos de Alá, y lo que menos le importa, por supuesto, son sus compromisos de ciudadana. Qué calamidad. Y lo que yo digo: eso no puede ser, en los tiempos que corren. Cuando las últimas elecciones, con todo aquel mogollón del censo y la madre que los parió, servidora movió cielo y tierra para poder votar en Madrid, que aquello de hacerlo por correo no me merecía confianza ninguna, y me presenté en mi mesa electoral, la que me correspondía, a media mañana, cuando había más barullo, hecha un brazo de mar, que fue una sensación, y eché la papeleta del Partido Comunista y lo dije en voz alta: «Yo voto comunista». Fue divino. El interventor del partido no sabía dónde meterse; el muchacho estaba como un tren, todo hay que decirlo, que el rojerío siempre ha dado muy buen género. En la mesa había una monja de presidente, que ni a cosa hecha habría salido más propia, y a la pobre le dio como un paralís, no hacía más que mirar la foto del carné de identidad, que no se lo creía, por lo visto; «Mire, madre», tuve que decirle, «es que servidor es artista, aquí lo pone, pero debajo de toda esta decoración está Manuel García Rebollo, para servirle». Y me dejaron votar.

Qué satisfacción. Qué tiempos. Hace nada, como quien dice. Aquel día, después de soltar la papeleta y armar el taco —que el deber no tiene por qué estar reñido con esas ganas que a una le vienen cada dos por tres de dar el golpe (Ay, Jesús, el golpe no; quiero decir llamar un poquito la atención, hacer algo vistoso, pero sin maldad ninguna, ya se entiende)—, después de echarle un vistazo al ambiente, que tampoco es que fuera como para alucinar, me vine a mi casa a soñar con la libertad. Huy, sí, qué cosa más bonita. Me la imaginaba divina, todo la mar de bien, para todo el mundo lo mejor de lo mejor. La gloria. Y había, en cambio, que ver cómo era aquella noche. Como un callejón, como boca de lobo. Qué diferencia. Cualquiera se ponía a soñar en nada. Ay, por Dios, qué disgusto. ¿Y dónde se habría metido aquella mujer? Si es que a cabraloca nunca le ha ganado nadie, y no creo que a estas alturas vaya a tener remedio. Seguro que no se había enterado; La Begum nunca se entera de nada, como no sea del tamaño de la Meca. Con el resto, ni se inmuta. Todo se lo gasta en ponerse mona y echarse encima toneladas de marcharipé. A una se le ocurre insinuarle cualquier cosa medianamente formal, y le entra jaqueca. Cuando las últimas elecciones, unos días antes, servidora le preguntó: «Guapa, ¿tú por qué piensas votar?». Y ella dijo: «Yo, por lo más caro», y arrugó el hocico, y echó para atrás su mata de pelo, y se marcó un desplante de lo más exagerado. Y luego, a la hora de la verdad, la muy bruja se abstuvo. Qué poca conciencia.

A lo mejor estaba en Marabú. No podía ser, aquella noche no habría espectáculo, segurísimo, bueno estaba el percal. Claro que yo tenía que llamar a la sala de todos modos. Lo mismo estaba allí, la muy lagarta, repasando el número, que buena falta le hacía. Antes, aún tenía un pasar con «Ojos verdes», por la Piquer —tampoco es que lo bordara, porque ella para el trabajo siempre ha sido tirando a chacueca, pero al menos le quedaba aparentón—, sólo que ahora le ha dado por lo moderno y el «Tugueder» de la Chirli Basi le sale un churro. Pues nada, ella emperradita. Y menos mal que el Federico es un sol y se lo estuvo permitiendo, a ver si mejoraba. Eso sí, la obligaba a ensayar, como tiene que ser, de forma que lo mismo La Begum estaba de entrenamiento, que la próxima vez que se cambie el nombre le pienso proponer que se ponga La Inoportuna.

Jamás me he sabido de memoria el teléfono de Marabú, el cabaret más elegante de Madrid en su género, como dice la publicidad; una manita de pintura sí que le hace falta, pero bueno. Como las de Radio Nacional seguían mudísimas, me fui dando traspiés al dormitorio a buscar el teléfono de

20

Marabú. No sé ni cómo lo encontré, tenemos como quinientas agendas y todo está apuntado al voleo, por donde pille: nosotras somos así. Marqué allí mismo, en el dormitorio, y al principio me pareció un timbre raro y como además no contestaban pensé: «Guapa, eso está más vacío que el chichi de Fabiola». Pero qué va, por fin descolgaron y una voz medio misteriosa dijo:

—Alóu...

La reconocí en seguida:

—Angel, hijo, ¿qué pasa, quién hay por ahí?

—¿Quién habla? —preguntó él como si fuera el encargado de recoger los recados en el palacio de Buquinján.

—La Madelón, hijo, perdona. Es que en cuanto me descuido me sale esta voz de marimacho. Qué cruz. ¿Tú cómo estás, cariño? ¿Te has enterado?

—Ya.

—¿Quién hay contigo?

—Nadie.

Siempre es igual. Este hombre iba para predicador. Qué elocuencia.

—Escucha, niño —le dije—. De La Begum no sabes nada, ¿verdad? Si por un casual le da la ventolera y aparece, que me llame. Que no se te olvide, corazón. Hoy no habrá espectáculo, supongo; yo estoy en casa, ¿sabes? Y escucha, titi: no largues tanto no te vayas a quedar afónico, piquito de oro. Chao.

Qué labia tiene la criatura, por Dios. Eso sí, cuando contesta el teléfono siempre dice «Alóu...» igual que si estuviera en Jaguai. Cómo es. Guapísimo. Bueno, era guapísimo. Ahora se ha puesto inmundo. Está gordísimo. Pero ha sido lo más guapo de Madrid. Hasta La Soraya lo reconoce. Claro que ésa, con lo pécora que es, se lo pasa en grande: «Huy, ¿de cuántos meses estás?, ji-ji-ji, qué barbaridad, ¿quién te cuida?; ahora en serio, Angel, de verdad, vigílate un poco, hay que ver la barriga que estás echando, qué lástima; pero no importa», le dice luego, sobona, y pone cara mariagoreti, menuda arpía, «no te preocupes, siempre estás hermoso; claro que sí, Angel es un chico muy guapo»; y después de eso La Soraya se embarca siempre en las mismas explicaciones: que no importa tener un poquitín de estómago —como ella—, que un estómago alto hasta queda bien, elegante, lo que hace feo es la barriga del ombligo para abajo, fíjate, yo no estoy gordo, estoy hermoso, y la tía es un salchichón, siempre tan apretadísima. Angel, con el cuajo que Dios le dio, ni se inmuta. Es de verse la parsimonia con que se lo monta todo el gachó. Y desde siempre, porque ése lleva haciendo la carrera desde que hizo la primera comunión, como muy tarde. Yo siempre le recuerdo igual. Ha engordado una cosa mala, ya digo, pero siempre ha estado de vicio y siempre ha tenido esa pinta de chulo discreto, tranquilote y ceremonioso, muy atento él y muy de pensarse cada palabra una barbaridad, siempre vestido de una manera curiosa —o sea, bien—, mayormente encorbatado, y además a todas horas como ensimismado y de medio perfil, muy en plan Barrimore. Soraya dice que Angel tiene *allure*, pronunciándolo divinamente en francés, lo habla como un papagayo, y lo mismo el inglés y el italiano, y un poquito de sueco y de alemán, y sus cositas en portugués y en griego del de ahora y hasta en árabe, y el español, no digamos: como doña Jacinta Benavente, que en gloria y bien acompañada esté. Soraya es una mujer muchilingüe, como dice La Begum. Qué envidia, la verdad. Servidora a todo quisque le reconoce sus méritos, que eso no me da empacho. Qué maravilla eso de saber tantísimos lenguajes y poder de pronto liarse de palique con cualquiera. Es como si te movieran una teclita y, hala, a largar en franchute o en lo que se tercie. Y no como una, que aquí estoy, hablando a duras penas el español y de cualquier forma. Porque ya no lo hablo ni como antes. Eso sí que es una lástima. De verdad, yo lo reconozco.

Si es que esta vida es muy perra. Y Radio Nacional venga a dar la matraca con aquella música de chin-pún-, chin-pún. Y La Begum sin enseñar el moño por ninguna parte. Menudo putón. Bueno, a La Begum sí que es un espectáculo escucharla hablar ahora. Es que se ha vuelto finísima. Todo lo dice con ese, ay la leche que mamó. Nadie sabe cómo se las apaña la tía para buscarse montones de palabras llenas de eses por todas partes en cuanto tiene que decir cualquier cosa. Y además habla así, lánguida, sin despegar casi nada los labios, arrugando un poco el hociquito, como si tuviera jaqueca todo el rato. Huy, ella nunca dice estas moderneces que ahora suelta todo el mundo. Qué va. Ella como si hubiera estudiado en El Cuco, que es un colegio carísimo de Jerez, para niñas de lujo, la mar de exclusivo. Soraya dice mucho eso de «exclusivo». Por lo visto, en inglés se usa una barbaridad. A mí me encanta, y por eso lo digo. Yo digo de todo. A veces hasta me da coraje, pero no puedo evitarlo; a La Begum el día menos pensado se le va el tonteo ése de la labia y la pronunciación y a saber, eso sí, qué cosa nueva se le ocurre, pero lo mío no tiene remedio. Antes, cuando llegué a Madrid, y hasta en los primeros años, yo hablaba mi andaluz de toda la vida, esa manera de decir las cosas que es una preciosidad, con esas palabras tan divinas, con ese comerse letras por todas partes, que la lengua se te va sola, y la verdad es que a la larga me entendía todo el mundo. Lo de ahora es un guirigay, y es que no lo puedo remediar; yo creo que es cosa de las hormonas, para mí que las hormonas me están cambiando hasta el dicho. Y luego una que es muy sociable y la mar de antojadiza, caprichosilla por naturaleza.

Casi toda la basca de ahora también es así, se lo monta a su aire en esto de la conversación y hay que estar al tanto, porque en el fondo es que tiene su gracia, y al fin y al cabo es sólo una manera de decir las cosas, y ahora es que todo el mundo se lo hace igual, y tampoco creo que eso sea tan malo. Lo que pasa es que a mí a veces, cuando lo pienso, me puede entrar una tristeza grandísima. Hay montones de cosas que yo decía antes y ahora muchísimas ya ni se me ocurren. Ahora lo digo de otro modo. Ahora lo digo todo mezclado. Una fatalidad. El destino de una que es así. El destino de una que es ser mitad y mitad; pero no en orden —como las sirenas, como los centauros—, qué va, qué más quisiera yo. Lo nuestro es ser mitad y mitad, pero a la rebujina, para qué engañarse.

Es lo que me pasa siempre: me pongo a contar tan ricamente las cosas, se me va cada dos por tres el santo al cielo, me lío de pronto a pensar y ya la jorobamos: se me pone el ánimo chuchurrío.

Pero si eso es hoy, que al fin y al cabo el susto gordo ya pasó, para qué decir cómo andaba yo de lo espiritual aquella noche del 23. Yo venga a rezarle, así, a media voz, a la Virgen de Regla: «Ay, Virgencita de Regla, que digan algo». Pero como si nada: las de Radio Nacional, mudas. Y las de la tele, que de pronto se me ocurrió encenderla, como si tal cosa: allí estaban dando *Con ocho basta*. A mí era un programa que me entretenía horrores, por qué mentir, y yo soltaba mis lagrimitas de vez en cuando, pero aquella noche es que no venía a cuento y, automáticamente, hasta el renacuajo de Nicholas me cayó jartible. Si es que hay que ver esas mujeres de la tele cómo son; bueno, también podían haber caído todas muertas. Es que menudo susto. Y, encima, aquel padecimiento tan horroroso del no saber. «Virgencita del Rocío, Blanca Paloma, Reina de las Marismas: que digan algo.» Y entonces, como un milagro, me dio por darle al botoncito del transistor, y al segundo salieron charlando como cotorras medio histéricas, pero divinas, todas esas mujeres tan maravillosas de Radio Intercontinental.

Tenía yo, en aquella noche en que todo parecía a punto de desbaratarse —una noche tan turbia y tan desapacible—, ese comecome que va dejándola a una desencajadita, sin fuerzas, sin saber muy bien dónde está, y sin ocurrencias; quiero decir que una no sabe qué hacer y a lo más que llega es a mirarse al espejo, que lo hice y me encontré rarísima y no sé por qué, pero debía ser el miedo que se me transparentaba: desdibujadas me pareció a mí que tenía las facciones, como si quisieran cambiar por su cuenta para ponerse a salvo.

Y menos mal que yo tenía, por lo menos, mi nidito donde arrebujarme como un caracol, las persianas bajadas, las cortinas corridas, Radio Intercontinental dando los mismos detalles una y otra vez y, sólo a ratos, una noticia nueva: una compañía de soldados había llegado a Prado del Rey y tenía vigilados en los despachos a todos los jefes de televisión. Por eso no podían cambiar los programas. Les quité la voz, que no estaba una para monerías de niñatos Bradly o como demonios fue-

ra el apellido de aquella familia. Así que me senté en el sofá nido que compramos apenas hacía
un mes en las rebajas y me quedé quietecita y me
dije, tratando de convencerme, aquí por lo menos
estás segura, no van a ir casa por casa sacando a
todo el loquerío, hala, a trabajos forzados, a hacer
una copia al natural del Valle de los Caídos. Eso no
lo iban a hacer; al menos aquella misma noche, que
igual estaban todos ocupadísimos en hacerse fotos
monas para la posteridad, que eso sí, a fotogénicos
no hay quien les gane a los guardias civiles, yo sé
que a los extranjeros les encantan. Después supongo que tendrían que organizarse y repartirse los
puestos y cambiarles los nombres a las calles y
todas esas cosas. Y luego ya se vería: Dios mío, lo
mismo empezaban por la a y terminaban por la
zeta, todo el abecedario, la guía de teléfonos nombre por nombre, una por roja, el otro por maricón,
empeñadas en dejar otra vez sólo a las decentes de
toda la vida. O sea que, si había suerte, otra vez
tendría una que abonarse a la vida clandestina,
pero mira, pensé —para entarme un poco—, todo
tiene su encanto.

Lo malo podían ser los ficheros. De pronto me
entró una angustia enorme a cuenta de los ficheros
que podían estar desparramados por ahí, cualquiera sabía, lo mismo daban las listas de la Seguridad
Social que los archivos de la Sociedad de Autores,
en casos así una no puede fiarse de nada. Y eso que

yo siempre fui prudente y nunca me dejé pillar en un renuncio, pero La Begum segurísimo que está fichada. Es un pálpito que yo tengo. Si es que la tía es muy loca. Si no puede ser. Si es que no tiene control.

Me lo contó a su manera, pero yo me la conozco divinamente y seguro que las cosas pasaron como yo me imagino.

Empezó ella a seguir a un monumento de hombre con cara de Omar Charif —para ella, cualquier morazo con bigotes es clavadito al Doctor Zivago; o sea, que tiene una fijación—, y venga un escaparate y otro escaparate, y hay que ver lo carísimo que está todo, y miradita va y miradita viene, y vuelta a escandalizarse de los precios en voz alta, a ver si el otro le escuchaba de una pajolera vez y decía algo, pero el menda como si nada, como si estuviera sordo, hasta que La Begum no tuvo más remedio que entrarle directamente, porque si no es que reventaba: «Esto es una ruina, ¿verdad?». El otro se sonrió con una guasita medio tierna, me dijo ella, pero no puede una darle crédito, que cuando le entra el calenturón esa mujer no discierne, y se anima en seguida, de modo que se le fue arrimando la mar de zalamera y qué calor hace, ¿no? —porque era en pleno agosto y a las cuatro de la tarde, con todo el solazo, que en eso de aguantar con salero la calor ella también es muy mora—. ¿Y usted es de aquí o de fuera?, le preguntó haciéndose la longui —cuando la tía llevaba hora y media convencida de que el gachó era por lo menos un beduino maravilloso— y también le dijo inmediatamente que ella necesitaba un vermut y que le invitaba, y el tío se sonreía, pero ni que sí ni que no, y La Begum ya medio frenética y venga palique, y la mano lacia por aquí —aunque él llevaba las manos en los bolsillos y a La Begum seguro que le daba un morbo espantoso aquello de no saber qué estaba tocando de verdad—, y un dengue por allá, y ella pensando pero qué poquísimo habla este hombre, que no le pegaba nada, porque hay que ver cómo son los moros para eso de los lenguajes, tienen una lengua que vale un potosí, qué alegría; pero aquél no hacía más que reírse y de una manera cada vez más rara, claro que también podía ser la cosa del coqueteo —y es que hay que ver cómo somos: le entra a una la picazón y ya no distingue una vespa de un botijo, y todas igual, sobre poco más o menos, que tampoco es que yo me ponga en plan Bernardete Devlín—, pero es que además los moros para el coqueteo son únicos, expertos, artistas, da gloria seguirles el vacile —yo lo reconozco— sólo por ver cómo sonríen, cómo te guiñan, cómo se cimbrean, cómo se pasan, despacio, la puntita de la lengua por el labio de arriba. Pero aquél por lo visto era modelo sobrio, o sea que La Begum se excitó muchísimo más —porque ella siempre fue así de marchosa—, y decidió por fin que tenía que entrar por lo descarado, que de lo contrario aquel moraco se le escapaba vivo, y así fue cómo la pobre acabó montándose un rollo muy chungo y muy vendido, y le dijo que ella no vivía por el centro sino por Tetuán —«Huy, qué gracia, ¿no?, lo mismo tú eres de Tetuán, o de Tánger, o de Larache...»—, y no podía invitarle a su casa porque ella vivía con una amiga y estaban esperando al decorador —ella siempre va por la vida de exquisita y de maravillosa—, pero le encantaría echar con él un rato y se puso interesante, mundana, desenvuelta, y al fin se lo propuso abiertamente: «Yo conozco por aquí una pensión de una señora muy buena, muy discreta y muy limpia». El tío dijo que no, sin ninguna clase de miramiento, y resultó que era de la bofia, claro; y, encima, de un pueblo de Pontevedra.

La Begum me juró como quinientas veces que lo pudo arreglar y que ni siquiera la llevó a la comisaría, pero se le notaba demasiado interés en que yo me lo creyese. A mí me da en el cozón que algo raro le tuvo que pasar, y en aquel momento, sin saber dónde podía estar metida, cuando todo me parecía que estaba como cogido con alfileres, con las de Radio Intercontinental diciendo que en Valencia estaban saliendo los tanques a la calle, con el fiera ése de los deportes de Hora Veinticinco chillando como un descosido por Radio Madrid, a mí me entró de pronto la completa seguridad de que a La Begum aquel Omar Charif de pacotilla le hizo la putada, pero bien, y que a lo mejor era eso lo que pasaba. Quiero decir, que a lo mejor por eso La Begum no estaba en casa y a saber dónde la tendrían.

Tenía yo, en aquella noche de febrero, una desazón tan grande que no me dejaba pensar, una tensión que se me enroscaba en los ojos en forma de parpadeo convulsivo, frenético, epiléptico, si yo creo que hasta me crujían las pestañas con tantísimo trajín. Me dio por imaginar que tenía algo en los ojos que se movía mucho, y me molestaba horrores. Empecé a ir al cuarto de baño cada dos por tres a echarme colirio, a mí es que me encanta el colirio, te pone unos ojos maravillosos: una es coliriómana perdida. Casi sin darme cuenta, empecé a ordenar un poquito la casa. Tenía que tranquilizarme. Tenía que ocuparme en algo. Una casa nunca está suficientemente limpia. Y si la cosa no iba a remediarse, si de pronto llamaban a la puerta y eran los civiles y, hala, a un campo de concentración, para que hicieran con nosotras detergente y crema para el calzado, pues hija, por lo menos que la casa la encontraran mona.

Yo pensaba: «Es que no puede ser». La verdad es que servidora siempre ha tenido una moral de concurso y nunca me ha gustado lo que se dice nada montar por cualquier cosa el gorigori de la depresión. Pero es que pasaba de Radio Intercontinental a Radio Madrid y aquello parecía una de indios, pero de las modernas, donde nunca sabes quién es el bueno y quién es el malo, no como en las películas antiguas, que todo estaba clarísimo desde que el muchachito sacaba del pecho una foto de su madre que había muerto en un ataque de los indios, siempre completamente cafres. Aquello también era un abuso, la verdad. Pero, al menos, una sabía a qué atenerse. Eso, de entrada, siempre es un consuelo. Pero aquella noche, llevando una más de dos horas encerrada a cal y canto, las de Radio Nacional seguían con sus marchas militares y en televisión sólo una vez pusieron un cartelito de esos de «Avance Informativo» y salió un tío extrañísimo diciendo lo que ya sabíamos todos, y además en plan telegráfico. O sea, que al final el rosario de la aurora, que le dicen, comparado con aquello podía ser más soso que un guiso de corcho.

Por eso me entró un poquito de melancolía, que la verdad es que ya ni siquiera era miedo. Con lo tranquilas y lo felices que vivíamos allí nosotras dos, como dos hermanas, sin meternos con nadie, con nuestros trapos maravillosos y nuestros millones de cremas para el cutis, que con eso no le hacíamos daño a nadie, y de casa al trabajo y del trabajo a casa —bueno, La Begum casi siempre da un rodeo (a ella donde haya un moro siempre le coge de camino), y a servidora mi vueltecita por la

Puerta del Sol y por Espoz y Mina los fines de semana no me la quita nadie, pero es algo que no molesta, que a fin de cuentas los moros no son más que moros (para ser franca: como nosotras yo creo que no son, ni mucho menos) y los soldaditos, en cuanto se licencian, si te he visto no me acuerdo y todas son más machas que santa Juana de Arco—, y aquí en este pisito, ay, pensábamos nosotras envejecer juntas y ser, dentro de muchísimo naturalmente, unas ancianitas divinas.

Qué se le iba a hacer. Pensaba yo en todo eso, con aquel porvenir que se nos venía encima, con la visión de todas nosotras en el desolladero —que por lo visto también hacían eso los nazis, cuando se ponían en plan Empresa Nacional de Artesanía; le arrancaban de capricho el pellejo a las mariquitas y luego hacían con él unas lámparas ideales— y, sin embargo, me quedé durante un rato como adormilada, como si se me hubiera escoñado la tensión de un batacazo, como si empezara a convencerme de que, al fin y al cabo, el cuerpo una ya lo tiene hecho a sufrir, desde hace mucho. O sea que me fui poniendo sentimental: empecé a mirarlo todo muy dramática, muy despacito, como en el cine, y se me saltaban las lágrimas sólo de pensar que a lo mejor ya, a esas horas, aquello era lo único que me quedaba, aquellos cincuenta metros cuadrados, mi tresillo tapizado con telas marroquíes, mi mesa camilla —que por mucha calefacción central que le echen a una, nada habrá como una mesa camilla para las noches de invierno (a falta, por supuesto, de un buen chulo que le eche leña al fuego de tus entrañas, como diría una amiga mía, La Pizqui, empeñada en hacerle la competencia a don Rafael de León)—, mi aparador de mimbre con sus estanterías a juego —en los anaqueles, tres o cuatro novelas de mucho loquerío—, el picú, como dice La Begum cuando se olvida de lo finísima que es, y música para sobrevivir: Vikki Carr, Mina, la Jurado... Qué se le iba a hacer. A lo mejor, afuera ya todo se había perdido. A lo mejor, ya todo lo que me quedaba era aquello: cincuenta metros de libertad.

Di un respingo. De verdad que di un respingo. Y qué coraje me entró conmigo misma. Allí estaba yo, rancia como una cotufa, desangelada como un inglés vestido de faralaes, lacia como el buche de un fraile en Cuaresma, desaboría como un chino en remojo. Vergüenza tenía que darme. Allí estaba yo, resignada; o, lo que es lo mismo, cobarde, babieca, ruin, babosa. Y el Tejero, mientras tanto, dándose el pisto de machirulo. Como si hubiera que tener muchas agallas para hacerles frente, con sus buenos pistoleros, a unos señores tan cultos, tan finos y desarmados completamente —a mí el presidente del Congreso es que me encantaba, con una facha estupenda y aquellos ojos de dulce; para el catre, la verdad, no era mi tipo, pero para ponerlo así, tan planchadito él, en el recibidor y que te contase el último cotilleo de los políticos, me habría chiflado—, no hay que ser muy macho, la verdad. Y si aquello seguía adelante y salían las cosas al gusto del Tejero y del Milans del Bosch —yo estaba sufriendo horrores por mis amigas de Valencia, que son todas el colmo—, si el golpe triunfaba, mi vida se iba a convertir en un martirio, de modo que, en aquel momento, si aún me quedaba una mijita de lo que Dios me dio —por equivocación: pobrecito, todo el mundo tiene derecho—, en aquellas horas tan malísimas que yo estaba pasando, servidora, La Madelón, tenía sin duda derecho a todo menos a una puñetera cosa: a resignarme.

Ya digo que aquella especie de telele y de colerón contra mí misma me entró de pronto y todavía no comprendo muy bien por qué. Yo creo que fue por mentarme, en mis propios pensamientos, la palabra libertad. Es que me chifla. Es que no hay nada que se le compare ni por aproximación. Es lo máximo. «Cincuenta metros de libertad.» Allí, en mi apartamento de cincuenta metros, yo podía hacer lo que me diera la gana y podía decir lo que se me viniese a la boca. Boquiabierta me quedé mirando las paredes, los muebles, aquella pareja de serigrafías una cosa mala de modernas, que las compré en un pub medio raro en el que unos chicos monísimos montaban exposiciones y lecturas de poemas y cine undergrún y cante flamenco por gente nueva pero chipén: una preciosidad. Cincuenta metros de libertad. Nunca pensé que pudiera gustarme tanto mi apartamento. Los cojines que La Begum se trajo de Casablanca, una foto de mi madre cuando mocita, los cacharros de cerámica que acabarán por echarnos de aquí —las dos somos forofas de la cerámica—, un póster de Richard Gere que está buenísimo, un gallo de Portugal... Y la jaula.

Ay, la jaula. Lo de la jaula es algo. Esa jaula tan grandísima, que La Begum pintó de celeste y blanco, no tiene bicho dentro, sino una maceta con una planta interior. Bicho no ha tenido nunca. Yo me negué. A La Begum la jaula se la regaló un novio que ella tuvo, rarísimo, que no bebía, que no fumaba, que a La Begum le tenía un respeto desesperante, qué hombre; era tan espiritual que nunca usaba calzoncillos y como si nada, tú, no se le notaba cuelgue ninguno. La Begum juraba, medio farruca, que el hombre tenía sus cuelgues, como todos, y muy aparentes por cierto, pero que se gastaba una barbaridad de control. La Begum, por aquella época, se volvió también un poquito extraña y se pasaba el día escuchando músicas celestiales, que no es un dicho, que es la pura verdad; decía que escuchaba como un concierto que venía desde lejísimos y que era una cosa que partía con todo. Más colgada que una lámpara estaba la pobre. Claro que eso le duró hasta que descubrió la verdad.

Porque, a todo esto, ella estaba convencida de que su novio, el del control —se lo encontró una noche en la Plaza de España, desnudo de cintura para arriba y rezándole como un descosido al Don Quijote del monumento—, era más moro que nadie. Ella lo daba por seguro, de forma que ni se lo preguntó. Hasta que, un día, el hombre se sintió con ganas de sincerarse y de animar un poquito la conversación y, después de una retahíla en un lenguaje que no veas, vaya cosa más rara, dijo: «Yo ser de Rangún». A La Begum, así, al principio, le pareció de perlas; a fin de cuentas, pensaría ella, el Moro tiene que ser grandísimo, ¿no? Eso sí, cada dos por tres se le olvidaba el nombre, y una le tuvo que decir: «Tú acuérdate del ragú de ternera, y le pones una ene detrás de la a y otra ene detrás de la u». Así por lo menos se lo aprendió. Pero una tarde volvió a casa con un sofoco grandísimo. En un mapamundi había visto la tía dónde estaba Rangún. Por donde san José perdió el sombrero. «Cerca de la China, tú», me dijo, «qué asco.» En cuanto lo pensaba un poquito, le entraba una grima espantosa; repelucos y hasta fatiga, que un día se puso mala de verdad. Al chino le prohibió terminantemente que volviera por casa, y el chino pajolero se lo tomó con tanta tranquilidad que a mí me dio hasta coraje. La Begum estuvo con décimas más de una semana, sólo del asco, y al final compró un bote de litro de Cruz Verde —esprai— y desinfectó toda la casa.

La jaula con la maceta dentro parecía un anuncio de vixvaporú: se me ocurrió de pronto y me entró una risita corta y un poquito rácana, pero agradable. Cincuenta metros de libertad. Iban a ser las nueve y tres cuartos y yo tenía que llamar de nuevo a Marabú. Y en Radio Nacional seguían dando marchas militares. Aquello tenía que ser horrible. Me puse en pie con ganas de hacer algo, pero la verdad es que sólo se me ocurrió arreglarme un poco el vestido. Y entonces, como si estuviera removiéndome un poco más de la cuenta, me dio como un olor raro, me vino al pronto un olor a sobaquera y polvos de arroz, a crema de afeitar y laca barata —no me puedo explicar por qué; nosotras usamos siempre de la mejor—, a tabaco negro y esmalte de uñas, a café cargado y a «Charlie» de Revlon. Era un olor extraño y de lo más confuso. Y yo creo que me salía del cuerpo. Era como si, con aquella inquietud, toda mi persona, de la cabeza a los pies, me bizqueara, se me torciera un poco y dejara escapar aquel olor tan raro.

Me fui corriendo a la alcoba y marqué el número de Marabú. Casi en seguida contestó una voz femenina, apocada y fúnebre:

—¿Quién es?

—La Madelón. ¿Y tú quién eres?

—¿Quién?

Aquella tía parecía extrañadísima. E inmediatamente caí en la cuenta de que sin duda había marcado mal. Con aquellos nervios... De todos modos, puse voz de certificado de penales:

—¿Es la sala de fiestas Marabú?

—¿Cómo dice? —aquella gachí parecía drogada perdida.

—Perdone —me excusé, con una formalidad de película—. Creo que me he equivocado.

Y ya iba a colgar cuando un fulano de lo más desagradable se puso al teléfono y preguntó:

—Oiga, ¿se puede saber qué es lo que quiere?

—Perdón, debo de haberme equivocado. —Yo, elegantísima pidiendo excusas.

—Pero, ¿adónde llama?

—A Marabú. Un cabaret —contesté, desprevenida.

—Valiente imbécil. ¿Le parece que está la noche para cachondeo?

Por Dios, qué apuro. Aquel gachó era un zafio, eso no se lo quita nadie, porque servidora estuvo de lo más mona y de lo más educada, pero tengo que reconocer que lo mío fue un poco imprudente, que tenía que haber calculado que medio Madrid por lo menos estaría igual que yo, y lo mismo seguramente en todo el resto del España, que zapatiestas de éstas impresionan muchísimo, y más de uno estaría ya acordándose del treinta y seis, y que de buenas a primeras, en medio de todo el drama, te pregunten por un cabaret hay que reconocer que es un flas. Pero, en fin, después de todo una pidió disculpas, qué leche.

Volví a trastear en el transistor con unos nervios de lagartija y todas aquellas chicas locutoras andaban contando con mucho agobio el correveidile de generales, personal importante del gobierno —o sea, muy importante no, porque todo lo máximo estaba en manos de Tejero, que se lo montó como en las películas, qué barbaridad, venga a dar órdenes y a pedir cosas: que si línea con Milans, que si línea con no sé quién, que si un avión, que si unas garantías; afuera, en los despachos, quedaba personal de segunda, pero se estaba portando divinamente—, y el trajín del Palace, que yo no sé qué pasa, pero en cuanto se arma algo así siempre hay gente que nadie sabe de dónde sale, y que no pinta casi nada, pero arma una bulla espantosa, y a mí, oyendo aquello, me entró de pronto una especie de alucine, como un éxtasis mayormente, que no sé si sabré explicarlo: me veía yo escuchando aquello con una angustia de lo más excitante —que no sé qué me ocurre, pero en cuanto me siento yo que me entra un apuro serio y grave de verdad, inmediatamente me empiezo a poner medio frenética de mis bajos; no lo puedo remediar y, la verdad, siento hasta gusto, a mi manera—, y dejé la vista muy fija y muy fuerte en el transistor, como si fuera capaz de ver lo que pasaba por lo que me estaban contando, y es que era el único modo, y además yo sentí que no estaba sola, que en todo Madrid —que en toda España— había miles de personas como yo, o sea que éramos multitud, un gentío que daba gloria vernos, todos en el tormento de no saber, todos con el corazón en un puño, todos apretujados, sin tiempo ni ocasión para remilgos, sin ganas de posturitas, sólo con unas ganas locas de que aquello terminara bien, con una necesidad loca de escuchar hasta por el ombligo, por mentar un sitio raro, pero decente, y con el pecho lleno de ansia de libertad. Me sentía yo hermana de todos, una cosa preciosa que nunca me había pasado antes.

Y es que una es así, una le echa mucho brío y mucho corazón a todas sus cosas, mucha sensibilidad, y luego me gustan los trapos y los potingues y un buen maromo como a la que más, pero con eso nunca se me olvida que, antes que nada, una es persona. Una es así. No como La Begum, que es una descastada. Lo suyo es el desdén. Lo suyo es la muequita y una jaqueca de lo más apañada. Lo suyo es el pendoneo. Andaría por ahí, como si fuera sueca y lo del Congreso la pillara de vacaciones. Por andar, andaría en Atocha, en la estación, uno de sus sitios predilectos, embobadita con tanto moro de paso, siempre a la verita de los meaderos, como si tuviera angurria; ay, algunos días, cuando se acuerda mucho de su casa y de su gente, cuando se pone tristona, le da como un ataque y se pone devotísima del ferrocarril, se pega a las vías y es capaz de pasarse las horas muertas al acecho de los trenes que vienen de Andalucía, al merodeo de los trenes que cada tarde y cada noche se van al Sur.

Dice La Begum que los trenes del Sur huelen distinto, como si los hubieran hecho de otra manera, en otra parte y hasta con más cariño, y para mí que en eso lleva razón.

Ay, los trenes del Sur... También a mí a veces me da por irme con La Begum a la estación de Atocha, a pasarme la tarde entre el bullerío de los viajeros, los soldados que vienen con la resaca del permiso —esos ojitos brillantes y la boca guasona, como un rescoldo que se traen pegado a las carnes y al mismo aire con que caminan, miran y se menean—, los soldados que se van con las ganitas saliéndoles por el cogote afeitado, a veces familias enteras que vienen de Alemania o de cualquier otra parte de por ahí, y seguro que a todos les va cambiando la voz, el habla, el color y el gesto conforme se acercan a Despeñaperros, que es una cosa que no se puede evitar ni disimular, porque a mí me pasa y sé bien lo que es eso. Es que yo me monto en el tren para ir a mi tierra, a ver a mi gente, y es que soy otra, una mujer distinta, como si con sólo pensarlo me entrara de pronto una especie de tranquilidad que en Madrid no tengo nunca, porque no es cosa de nervios, yo creo que es sólo una cosa de comodidad, de sentirse a gusto de la cabeza a los pies, por dentro y por fuera, y para mí que más que nada es una cosa de los huesos, el esqueleto de una que se relaja, se pone confortable de verdad, se deja ganar poco a poco por esa galvana tan rica que no es pereza ni holgazanería ni desidia, es como una parsimonia sabrosa y divinamente aliñada, no esa patarra insípida de la gente patosa y lacia, o sea que no es despego sino una dedicación a tope pero sin ninguna prisa, sin agobio ninguno, para que nada se desperdicie. Esto es una cosa que en Madrid se pierde mucho, por tantísima bulla como aquí tenemos, pero que a mí se me resucita en cuanto me pongo en camino, y que yo creo que se le nota a cualquiera que sea de allí, siempre se acaba notando, más temprano o más tarde, esté uno donde esté y por tiempo que lleve fuera y por mojarrilla que sea.

Yo antes en estas cosas me fijaba menos, pero ahora me entra un orgullo grandísimo a cuenta de mi manera de ser y de cómo es mi gente, y me llevo unos sofocones de espanto cuando pienso en lo fatal que está todo por allí, la cosa del trabajo sobre todo, y es esta desgracia tan enorme de tener que emigrar, que yo creo que es como si te arrancaran el pellejo, que es verdad que te sale otro y es por el estilo, porque no te va a salir torcido como el de un japonés, pongo por caso, pero ya nunca será la misma cosa. Por mucha satisfacción y buen cuerpo que le entre a una cuando vuelve a casa, ya no es lo mismo. Yo es que lo pienso y me entran ganas de liarme a llorar.

Hubo una época, la verdad, en que yo era igual de insensata y dejada que La Begum para estas cosas. Lo que pasa es que una tiene su preocupación y su amor propio, y también es verdad que una siempre ha sido medio levantisca y, para colmo, me encanta todo este zascandileo que hay ahora con las autonomías y las banderas de cada uno y elecciones cada dos por tres, y un referéndum de ésos todos los fines de semana —que, por cierto, hay que ver la preguntita tan mona y tan sencillita que nos hicieron a las andaluzas, mal rayo les parta— y unas manifestaciones preciosas que se montan corriendo, a cuenta de lo que sea, y a poca alegría que le eches te lo pasas de cine. A mí toda esta bulla es que me encanta.

Nunca me olvidaré de aquel domingo, cuatro de diciembre, Día de Andalucía, en la Plaza de Santa Ana. Ni el tiempo lo pudo estropear. Llovía a cántaros, que también fue fatalidad, que en un día así debería lucir un sol de justicia y nunca mejor dicho —«Justicia para el País Andaluz», decía la pegatina que servidora, La Madelón, se pegó directamente en el escote. Y yo me sentía medio soviética; una siempre ha sido bastante roja, la verdad, pero en cuanto me mientan mi tierra soy más roja que nadie.

Aquella mañana sonó tempranito el despertador —sonó a las nueve, que para nosotras eso todavía es madrugada—, aquel pitito tan delicado, la primera caricia del día, como dice la publicidad; ese despertador todavía lo tenemos, La Begum se lo trajo de Ceuta después de pasarse allí mes y medio, desquiciada por un futbolista. Sonó el despertador y me levanté corriendo, porque no era cosa de andar tonteando con la galvana, que a las doce en punto había que estar en la Plaza de Santa Ana y quedaba mucho que hacer. Claro que en seguida se me escapó el oído al diluvio que estaba cayendo y el pensamiento a mi bata de cola. «Ay, qué fatalidad.» Y La Begum dormía como un ceporro, valiente falta de sensibilidad en un día como aquél; la muy cínica dice que dormir es la mejor manera de olvidar, y la más cómoda. Y es verdad que la pobre había pasado una época muy mala; lo dejó todo, dos meses antes, por un centrocampista ceutí que, a la hora de la verdad, ni puñetero caso —un monumento de hombre, las cosas como son: cara de niño guapo y malicioso, y un culo y unos muslazos que daban ganas de dejarlo todo y ponerse en seguida a coserle un pantalón—, pero ella dijo que le seguiría hasta el fin del mundo y cruzó el Estrecho muy dramática, como la hija de Victor Hugo, Adele, en aquella película tan preciosa; la vimos en el Carretas, y La Begum se pasó todo el rato llorando, sin echarle cuenta al ajetreo que allí siempre hay, en las

48

últimas filas. Qué dramática la vida de Adele Hugo, y qué bien trabajaba ella, la protagonista, con sus gafitas y su morrito de cachorrillo asustado. Al salir, La Begum, con el corazón encogido por culpa de la llantera y todo el rímel corrido, que parecía el velo de la Verónica, sólo pudo decir: «Mi vivo retrato», y se echó otra vez a llorar, en medio de la calle, enfrente mismo de la Dirección General de Seguridad, ella siempre tan oportuna. Y menos mal que en pocos días se recuperó mucho, porque había que ver en qué condiciones volvió la pobre de Ceuta, en los puros huesos y con ojeras hasta las corvas.

Yo la zarandeaba: «Date prisa, mujer, que no llegamos». Pero ella siempre ha sido muy patarrosa para levantarse, y además le da una vergüenza horrible que la vean recién salida de la cama. Pero aquel día no estaba yo para andarme con muchas contemplaciones con aquella pazguata. Estaba yo impaciente por echarme a la calle, a pesar de la lluvia, a pesar de que el tiempo parecía estar contra nosotros, contra todos los andaluces que íbamos a juntarnos en la Plaza de Santa Ana. Medio millón de andaluces hay en Madrid, eso decía en un papelito que me dieron; o sea, una verdadera multitud, pero con aquel aguacero lo mismo se quedaban en casa la mitad. Y es que a mí me parece que el tiempo siempre ha sido de derechas.

Ay, qué asco de tiempo para un día como aquél. Una excusa divina para que La Begum se negara a colaborar. Ella estaba hecha polvo por lo del ceutí, y no tenía el cuerpo para madrugones, para mojarse y, mucho menos, para cosas serias. Y servidora, en plan catequista, se puso a explicarle otra vez que todo aquello era para su bien, que si no fuera por la democracia y la libertad a ver desde cuándo íbamos a poder nosotras dedicarnos a lo nuestro. Que se acordara de los malos tiempos, cuando ni soñar con salir a la calle si no era embutidos en un traje cortefiel y haciendo de tripas corazón para que la afición se nos notara lo menos posible; verdad que luego, en la habitación de la fonda, nos poníamos las plumas y los ligueros y nos desahogábamos, pero a las siete de la mañana sonaba el despertador que era grande como una cafetera y sonaba del modo más impertinente. Aquel despertador lo conservamos mucho tiempo, porque no dejaba de ser una reliquia, pero cuando La Begum volvió de Ceuta, harta de llorar, y trajo uno de ésos tan electrónicos, tan delicados, la primera caricia del día, dijo que había que tirar el antiguo porque ya era hora de olvidar. Y servidora estuvo de acuerdo, que a fin de cuentas nada era ya como antes. Ahora, hasta podíamos meternos nosotras en política sin que pasara nada. Y eso era lo que yo le decía: «Querida, hay que echarse a la calle y armarla, que ya va siendo hora».

Pero La Begum decía que no, que el gentío es una ordinariez y ella lo tenía superado. «Pero es que yo tengo una idea divina.» Y ella: «Que no, mona. Que tú a mí no me líes». Y por más que yo intentaba que me escuchase y no fuera lacia, ella se cerraba en banda y que no y que no. «Pero vamos a ver, ¿tú sabes cómo es la bandera andaluza?» Y ella dijo la mar de orgullosa, como si supiera trigonometría: «Blanca y verde». Y entonces, aprovechando que ella tenía el ánimo subido y estaba en buena disposición, le expliqué mi ocurrencia: «Pues, guapa, se me ha ocurrido que nos echemos a la calle, el Día de Andalucía, con unos hermosísimos trajes de volantes. Trajes de flamenca. Batas de cola. Y con los colores de la bandera. ¿No es de cine? Trajes verdes con lunares blancos, o trajes blancos con lunares verdes; mira, eso lo dejo a tu gusto». Y ella puso el grito en el cielo, pero de entusiasmo. Aquello era otra cosa. Daríamos el golpe. Saldríamos en los periódicos, seguramente. A La Begum le priva salir en los periódicos, y eso que aún no ha salido nunca —ay, Dios mío, lo mismo sale mañana, esposada por la muñeca con un guardia civil guapísimo—. Qué maravilla. Quiero decir, mi ocurrencia: bata de cola; lunares blancos, lunares verdes... Ay, Dios mío, igual no teníamos otra oportunidad.

Pero aquel domingo, 4 de diciembre, no se me olvidará nunca. Aunque quieran borrármelo con

estropajo de aluminio y sosa. Aunque me restrie-
guen los sesos con asperón. Aunque me arranquen
el cutis y los huesecillos del cráneo para hacer
panderetas. A las doce en punto de la mañana allí
estábamos nosotras dos, La Begum y La Madelón
—por riguroso orden alfabético—, en la Plaza de
Santa Ana, en medio de la lluvia, llenas de lunares
blancos y de lunares verdes, zapatos y peinecillos a
juego, y a cuerpo gentil, porque el paraguas es un
invento feísimo que sólo le queda medio bien a la
gente sin personalidad. Y a nosotras, naturalmente, lo que nos sobra es personalidad.

Llovía con verdadera insidia, qué contrariedad,
y con aquel aguacero no podía haber mucho personal en la Plaza de Santa Ana. Había, eso sí, unos
muchachos guapos y animosos vendiendo chapas y
pegatinas; ay, qué guapos son los muchachos andaluces. Vendían pañuelos con el mapa de la tierra de
María Santísima, chapitas la mar de coquetas con la
bandera del país andaluz. Un señor de pinta medio
estrambótica, pero interesante, predicaba a voz en
grito junto a una furgoneta y pedía justicia y pan.
Carlos Cano, un chaveíta granaíno la mar de mono
y ya de bastante nombre, por lo menos entre el
rojerío, cantaba unas coplas divinas contra la ex-
plotación y todo eso. Llovía de una manera la mar
de arrogante, que a mí hasta me entraba una
puntita de coraje de vez en cuando, y de no ser
porque una estaba contenta de por sí, como cuando

una empieza a estar ajumadilla, hubiera cogido un berrenchín. Pero no estaba una para hacerse malasangre en un día como aquél.

Por la mañana, cuando sonó el despertador, tuve que zarandear a La Begum mucho más de la cuenta, y ella se ponía farruca —que, además, con la soñera lo hace con mucha malage—, escondía la cabeza debajo de la almohada, que es lo que hace siempre, porque sin arreglar la pobre pierde muchísimo; sin arreglar, a La Begum podría vestírsela perfectamente de cabo de gastadores sin que desentonara en un batallón, y es que no parece la misma. Menos mal que después, con la idea de los trajes de flamenca —que yo me lo tenía todo ensayadísimo— se animó bastante. Antes, mientras ella ronroneaba bajo la almohada como una gata arisquilla, yo pasé al cuarto de baño y lo primero fue encender el transistor —ay, aquel mismo transistor: acabaré haciéndole un monumento, o por lo menos una funda mona de lamé, que hay que ver el avío que me ha hecho siempre, cuando más falta me hacía—, y empecé a buscar, como una Madame Curí cualquiera, alguna emisora que estuviera de nuestra parte. Un salto me dio el corazón cuando un locutor de ésos de voces tan maravillosas dijo: «Conectamos con Radio Sevilla». Y ya me volví loca cuando uno de los de allá, con ese seseo y esa gracia que te quita el sentido, anunció: «Dentro de unos momentos, señoras y señores radioyentes, y sumándose como una andaluza más a la manifestación por el Día de Andalucía, empezarán a repicar las campanas de la Giralda...». Ay, qué emoción y qué sofoco tan rico, tan gustoso; ay, qué alegría. Me volví corriendo al dormitorio y allí estaba La Begum dando traspiés, como sonámbula, y me la llevé medio a rastras al cuarto de baño, para que no se fuera ella a perder, en un día tan grandísimo, las jubilosas campanas de Sevilla.

Nosotras no podíamos faltar. Aunque cayeran chuzos de punta y el agua se nos metiera hasta el esternón. Me miraba yo en el espejo y me encontraba un brillo nuevo en los ojos, y eso que acababa de quitarme las legañas y no había empezado todavía esa obra de arte que me hago yo con el rímel, el colirio y la sombra de ojos. La verdad es que, a pesar del diluvio, me puse compuestísima, como si fuéramos a ir a una fiesta de mucho postín. Eso sí, de lo que no me preocupé mucho fue de que las bragas me quedasen perfectamente lisas. Al principio, qué mal lo pasé por culpa de eso. Pero aquel domingo, en la gloria de un día tan nuestro, qué más me daba. Hasta se me ocurrió que, si alguien me obligaba a enseñar mis bajos —que una nunca sabe por dónde va a salirle la degeneración a las ministras del Interior—, mejor era que se me notasen los tolondrones; me parecía a mí más revolucionario. Y eso que ya he aprendido a colocarme mis cosas como Dios manda. Pero al principio, cuánta fatiga. Qué trabajito me costó. La Begum, en cambio, aprendió en seguida, y a ella es que no se le nota nada, pero es que La Begum tiene un equipaje muy adecuado y se le queda hecho un primor, muy pegadito, con el esparadrapo; lo mío, en cambio, es una verdadera ordinariez, más de una y de dos me lo envidiarían: ancho, macizo y graciosamente arqueado, como a mí me gusta decir, porque a todo hay que ponerle un poquitín de delicadeza. Qué sufrimiento. Qué desperdicio. Al principio, no había forma de que aquello se estuviera quieto, por mucho esparadrapo y mucho apretón de piernas que le echase. Llevábamos nada de tiempo hormonándonos, pero La Begum ya había aprendido a ir por la vida como una auténtica almea arábiga —esto es una cosa que le dijo una vez Estanislao Villán, La Plumona, periodista ella y con una labia de lo más puesta, que a la gachí le encanta decir cosas complicadísimas y medio estrafalarias, pero que suenan a gorgorito de novicia, que a mí eso, por ejemplo, de almea arábiga no se me olvidará jamás, parece que una esté hablando de coquina de los corrales del Moro, y la verdad es que hace cultísimo—; boquiabierta me quedaba yo viendo aquella forma de progresar. Así que le pedí que me ayudase, por favor, que servidora no conseguía disimular toda aquella cesta de la merienda que la Naturaleza —madrastra, braguetadicta, putón de feria— me había regalado, con tan poquísimo sentido de la oportunidad. Y la verdad es que la pobre lo intentó. Se puso tensa como las elegantes de las películas cuando se las tienen que ver con un galán descarado, un galán que les va horrores y las pone marchosas, y que les suelta cientos de groserías, siempre con mucha gracia. Claro que maldita la gracia que tenía aquello, y tampoco era para ponerse en plan Grace Kelly. Servidora se tumbó en el sofá —me hubiera encantado hacerlo lánguidamente, pero hubiera quedado ridícula con aquel barullo de redondeces peludas asomándome entre las piernas de cualquier modo—, y vi cómo La Begum se ponía pálida igual que una bailarina rusa y se veía a las claras que de un momento a otro iba a necesitar las sales. Yo le suplicaba: «Ayúdame». Y la criatura hizo lo que pudo: se acercó temblorosamente, se arrodilló a mi vera, se puso a observar con muchísima atención aquel equipaje tan aparatoso y barriobajero, tragó saliva, alargó sus manos de dedos largos y melancólicos... y tocó. Simplemente, tocó. Luego, tuvo que salir corriendo, tapándose la boca, y no pudo evitarlo: vomitó todo el desayuno encima de la alfombra malva del dormitorio.

Pero en aquel domingo, 4 de diciembre, Día de Andalucía, nada de eso tenía la menor importancia. Nos pusimos guapísimas porque queríamos causar sensación, que eso es algo que siempre gusta, pero servidora al menos lo único que quería de verdad era arrimarse a lo que es tu gente, tu manera de hablar y de mirarse, tu forma de mecer el cuerpo y de improvisar, que en seguida se te ocurren cosas y dices unas barbaridades divinas del primero que se ponga a tiro. Nosotras nos llevamos el transistor, y allí, en la Plaza de Santa Ana, en medio de la lluvia, sonaban a lo lejos las campanas de La Giralda. Carlitos Cano cantaba una copla triste, y eso estaba la mar de bien, era como ponerle almendra a un brazo de gitano; lo que se dice una ocurrencia artística. Yo no sé si Carlitos Cano estaba allí, en persona, para mí que era una placa, porque la voz salía renqueante y hasta un poquito gimnástica, quiero decir con una especie de menudillo de sobresaltos, un poco como si cantara pegando brincos por el Ampurdán. Pero daba lo mismo, que allí estábamos todas para corear lo que nos echasen. Bueno, lo que salió fatal fue el himno de Andalucía, es que eso no hay quien se lo aprenda, la verdad, lo han hecho retorcidísimo, pero eso les pasa por querer ponerse en plan grandiosas, que arreglan un poco unos tanguillos y le ponen una letra sencillita, pero mona, y les queda ideal.

Había permiso hasta las dos de la tarde. Y a las dos menos cuarto empezaron a llegar, por la Calle del Prado, los yips de la policía, y aparcaron en las orillas de la plaza, frente a la Cervecería Alemana —la de reclutas que servidora se ha ligado allí, en otros tiempos— y el Teatro Español que por aquella fecha llevaba siglos en ruinas; después lo han dejado precioso. Los yips, y tantísimos grises como llevaban dentro, se quedaron quietecitos, sin duda esperando a que dieran las dos. Yo en seguida me di cuenta de que en aquellos yips había una mansedumbre curiosa, como si por lo bajini estuvieran de acuerdo con todas nosotras. Era como una resignación vestida de uniforme.

Ay, los uniformes... A mí es que me privan los uniformes. Desde siempre. De toda la vida. Desde que era un renacuajo y se me iban los ojos detrás del municipal que dirigía el tráfico en la calle Ancha, frente a la plaza Cabildo. ¡Todo por un uniforme! Mi reino de plumas y ligueros, de cremas carísimas, de perfumes de importación, por un uniforme. De alguna parte tenía que salir mi nombre de guerra: La Madelón. Ay, los uniformes... La Madelón es dulce y complaciente, La Madelón a todos quiere igual; da su amor a todo el frente, del soldado al general. Ay, La Madelón: muerta en la bañera por un paracaidista.

Yo estaba que se me salía el contento por los ojos. Empezamos a hacer corrillos. Y eran ya las dos de la tarde. Empezamos a cantar y a bailar bajo la lluvia las sevillanas de la democracia, las sevillanas de la autonomía. Qué maravilla: palmas rocieras; lunares blancos y lunares verdes; peinecillos de carey y zarcillos de plexiglás. Guapos muchachos

58

bailaban con nosotras sevillanas críticas. Y a lo lejos, por entre las pilas roncas del transistor, repicaban las campanas de La Giralda.

La gente decía que sólo había permiso de la autoridad hasta las dos de la tarde. Pero ya eran las dos de la tarde y daba lástima irse de allí. Empezaron a bajarse grises de los yips, que aquello era una exageración —ni que fueran camino de Brunete— y una pareja se acercó a nosotras, al grupo donde bailábamos. Y uno de los policías, joven y muy moreno, algo apurado, guapísimo, con media sonrisa amable y la otra media preocupada dijo: «Venga, ya es la hora, hay que dejarlo». Y lo dijo el gachó con un acento de Graná que no podía despintársele. Y a mí con aquello me entró una emoción que no lo pude evitar, me planté en jarras delante del muchacho, yo la mar de jacarandosa, y se lo eché en cara: «Hijo de mi alma, si tú lo que tienes que hacer es echarte una bulería, que tú también eres de por allí...». Y a la criatura media sonrisa se le puso dichosa y la otra media se le puso triste, y tuvo que darse media vuelta. A mí me dio mucha lástima.

Porque, además, había que irse. Ya eran las dos de la tarde y había que irse. Ay, cómo sonaban las campanas de La Giralda... Alguien dijo que todos al bar de Julio. Allí van los andaluces en Madrid; bueno, allí van , sobre todo, los andaluces de Moratalaz. Y para allá nos fuimos, para el bar de Julio, antes de que la policía empezara a perder la compostura. Y nosotras dos íbamos en el centro del cotarro, en la gloria, jaleadas, llamando la atención, con los trajes empapados, con los moños caídos, con los ojos ardiendo de contento; los ojos emocionados y felices, como si fuera el día de la resurrección de la carne.

De todo eso me estaba acordando durante aquella noche del 23. Con el susto tan grandísimo que tenía, con los nervios que parecían estar acorralándome la respiración, los recuerdos se me alborotaban y lo mismo me veía yo en la Plaza de Santa Ana, chorreando, bailando con un malagueño de quitar el sentido, que en mi casa de la Calle Barrameda, cuando chico —de siete u ocho añillos como mucho—, acurrucado igual que un gazapo cirigañoso en las faldas de mi abuela, masticando despacito unos cientoembocas buenísimos que ella me daba de dos en dos, mostachones chiquitejos y que casi no sabían a nada, pero que mi abuela, que me quería horrores —para mí que desde que nací ella supo que yo iba a ser de los del Polo Norte, y la crujía tan mala que me tocaría pasar si no me despabilaba por mi cuenta—, compraba para mí en el almacén de la esquina, en cuanto tenía dos perras. Qué dolor de mujer. Murió sin que nadie se diera cuenta; estaba sentada en la casapuerta, en una silla de anea, una tarde de verano de muchísimo calor, y de pronto se quedó como dormida, con la boca un poquito entreabierta, y sin quejarse ni nada; mi sobrina Carmeli fue la primera en echar cuenta de que la tata Cari había muerto y menuda impresión se llevó la pobre, hasta mala estuvo de los nervios. Cuánto me acordaba de ella, de la vieja tata Cari, cuando me iba con La Begum a la estación de Atocha y, entre caña y caña —que siempre nos tomábamos miles, yendo como posesas de una cafetería a otra, armando un revuelo espantoso y arrastrando una escolta de moros sonrientes, cachambrositos, cabestreros—, nos hacíamos la ilusión de volver por unas horas yo a mi Sanlúcar y La Begum a Algeciras, que ella es de allí aunque a veces, para quedar decorativa más que nada —porque yo estoy segura que no engaña a nadie—, se monta unos embustes exageradísimos y dice que nació en Bagdad, porque cuando chica vio una película por María Montez que pasaba allí y se le quedó clavadito. Yo la verdad es que he seguido yendo a mi pueblo de vez en cuando, pero últimamente nos salen muchísimas galas de verano en salas de la costa, y este espectáculo de Marabú ya lleva dos temporadas con muchísimo éxito y yo no sé si la gente se da cuenta de lo esclava que es de verdad la vida del artista.

Ahí, en ese momento, pegué un grito: ay, Jesús, qué cabeza la mía... Se me había olvidado llamar a la sala. Era imposible que hubiera espectáculo, pero una siempre ha tenido a gala ser una profesional fetén y siempre he pensado que, si alguna vez me pasara un drama espantoso, un drama de ésos que te dejan hecha mixto y como sonámbula durante meses —como a la Conchita Bautista, cuando se le murió su única hija de doce años, que era lo único que tenía; algo así—, servidora saldría a escena como todas las noches y el público, que es maravilloso, no se daría cuenta de nada, porque el dolor verdadero de una artista es sólo cosa suya y tiene que ir por dentro. Y si aquella noche, con la zapatiesta tan gordísima que se había armado, con lo peligroso que tenía que ser todo, Federico me llamaba en cualquier momento y me decía: «Madelón, aquí hay público que ha pagado su entrada y hace falta que vengas», pues servidora iría como si tal cosa, maravillosa, deslumbrante, con mi número hecho como siempre, sin una prisa de más, mi número de Marlene Dietrich, que es una sensación, una cosa medio morbosa, muy sexual, pero con mucho gusto, y de aparecer los civiles tendrían que echarme de la pista a empujones o esperar como lobas a que terminara el número. Mi arte para mí es una cosa sagrada.

Pero, claro, no había nadie en Marabú. Y el pendón de La Begum sin aparecer. Y las de Radio Intercontinental te contaban todo lo que iba pasando empezando siempre por el principio, que yo me lo sabía ya casi de memoria y en seguida me daba cuenta cuando hablaban de algo nuevo. Por lo visto el general Armada estaba intentando arreglar las cosas y a mí en seguida me cayó simpático, tenía una confianza grandísima con el rey, las de la radio decían que fue su preceptor y que los dos se querían como padre e hijo, más o menos. Yo no hacía más que pensar en cómo las estaría pasando Juan Carlos de moraditas, porque para él sí que tenía que ser un trago y a mí me parece que cuando pasa algo así hay un rato, que tiene que ser el más malo y que no se lo puedo desear a nadie, en que no sabes quiénes son tus amigos y quiénes no, pero tienes que confiar en alguien y no sabes si estarás equivocándote, porque no sabes de verdad si puedes fiarte de lo que hacen o lo que dicen delante de ti, que por detrás pueden estar conchambados, y es como andar por un campo de esos que salen en las películas de guerra, sembradito de minas. Yo hasta llegué a pensar si no lo tendrían secuestrado, quiero decir al rey. Y me sentía tan mal, con una angustia tan grande, que me dio por pensar otra vez en aquellas visitas que he hecho algunas veces con La Begum a la estación de Atocha, que no sé por qué eso me daba consuelo, era como si se me taponaran un poquitín los oídos y escuchara, en la lejanía, los altavoces anunciando la salida y llegada de los trenes, la salida del exprés de Algeciras a las diez y pico de la noche, un tren con mucha mandanga, La Begum siempre cuenta cosas enloquecidas de sus viajes en ese exprés que siempre va lleno de moros y de extranjeros medio jipis que pasan a Ceuta y de allí a Marruecos a comprar chocolate. La Begum es una verdadera calamidad. Y mira que yo la quiero, pero hay cosas que no pueden disimularse. ¿Dónde se habría metido? Igual estaba en al estación de Atocha, dándole gusto a su atavismo.

¿Verdad que suena mono? Estanislao Villán, La Plumona, le dijo a La Begum —sobre quien escribió en su periódico un reportaje maravilloso y para mí que un poquito trapero, quiero decir que en el fondo a mí me dio que se cachondeaba de ella—, trató de explicarle con santísima paciencia que lo suyo es una cosa atávica, algo que le venía a ella de muy lejísimos, de los tatarabuelos de sus bisabuelos, de cuando el moro andaba zascandileando por toda Andalucía, que aquélla sí que fue una época preciosa —yo, por lo que nos contaba La Plumona cuando se sentía inspirada—, toda llena de tapices y alfombras de sueño, unas mesas siempre servidas como para desmayarse, un vino riquísimo, y unos viejecitos maravillosos, todo enturbantados y recitando a todas horas, por todos los rincones de palacios lujosísimos, unos versos embriagadoramente románticos, y muchachitos medio desnudos tocando el arpa, encuclillados junto a los enormes y carísimos cojines donde se recostaban los califas y todo el morerío importante, que tendrían sus harenes con un batallón de gachises, pero perdían el resuello por cualquiera de aquellos chiquillos músicos o bailarines. Para mí que se pasaban así todo el tiempo o montando en unos caballos divinísimos, con esos pajarracos en el brazo derecho para la caza, o paseando por los jardines del Generalife, que una entra allí y se marea de lo bonitos que son, o mirando la luna que iba como escaqueándose por las callejuelas del Albaicín. Una época de morirse, sobre todo en Granada, que fue la capital. Por eso La Begum dice a veces, con toda desfachatez, que ella es granaína, porque lo de Algeciras es una cosa mucho más chapucera. Pero Estanislao Villán le explicó muchas veces que no es cosa de empadronamiento, sino de dentro, de la sangre, y de la carne, o sea de las células, y que eso pasa algunas veces, que por ejemplo una señora tiene de pronto una criaturita albina, o sea de esas que son feísimas de rubias y medio cegatas de claros hasta la exageración que tienen los ojos, y nadie se explica de dónde puede salir ese destiñe, hasta que investigan y descubren que una de las cuatro bisabuelas, por ejemplo, era así. Más o menos, eso es el atavismo. Y a La Begum le encantó cuando se lo explicó La Plumona —ahora, en cuanto tiene ocasión te suelta: «Quita, guapa, que lo mío es atávico»—, y está totalmente convencida de que ella en realidad pertenece a aquel tiempo dedicado al jaroneo, el vicio de popa y la cultura, que las tres cosas son una bendición.

Yo, la verdad, lo poquito de moro que pueda tener me lo noto en cosas mucho más de andar por casa. A mí, por ejemplo, algo que me despabila la memoria una barbaridad es eso del olor, una nariz tengo yo que es un portento —aparte de monísima— y siempre que huelo en cualquier sitio a potaje de habichuelas, o algo parecido a un guiso de papas con chícharos o alcauciles, o a pescaíto frito, o a berza o a piriñaca, se me pone delante de los ojos algún cacho de mi vida, quiero decir de mi vida de antes, de cuando yo era chica y desde luego me fijaba una barbaridad en cómo olía cada cuarto de mi casa, cada casa a la que entraba por hache o por be, cada calle del pueblo, y hasta cada pueblo de por sí, que huelen de un modo distinto y yo siempre lo he notado una cosa mala cuando voy de viaje. La Plumona decía que lo mío es sensorial, y lo de La Begum, atávico. Yo reconozco que lo mío suena un poquito más ordinario, y lo de ella más poético, más misterioso. Ella estaba encantada, sobre todo desde aquel día en que La Plumona echó un buen rato para explicarnos lo mío, y lo hacía con tantas ansias que a mí acabó pareciéndome una enfermedad, y sin embargo para explicar lo de ella, lo de La Begum, y como en un rapto, le bastó con pronunciar una frase linda de verdad. Le dijo: «Tú es que tienes el corazón arameo». La tía casi pilla un orgasmo. Lo tiene apuntado y, en cuanto reúna, se piensa comprar una esclava de oro y que se lo graben, letra por letra.

Claro que toda aquella fascinación que La Plumona, tan repipi ella, sentía por la pobre de La Begum acabó de un modo chunguísimo, que la mala suerte que tiene la pobrecita mía es de concurso, qué dolor, pero ella también tiene su culpa, que es cabestrera como nadie y se deja llevar por cualquiera, y se aturde en seguida y no se da cuenta de que se la están jugando. Ella se echó un novio marroquí, un pintor interesantísimo, quiero decir de facha y como hombre, que después sus cuadros había que verlos, todos eran con cabezas extrañísimas y con unos colores fuertes que te dañaban la vista, una cosa como para coger sinusitis y no recuperarte jamás. Bueno, le entró un enamoramiento —a La Begum, naturalmente— de esos que parten con todo y que ella coge cada dos por tres, y se lo presentó a todo el mundo y lo llevaba a todas partes —que hasta quiso meterlo a dormir en casa, pero yo no lo consentí, y eso que no me hubiera importado nada tener con él un tropezón, y seguro que él encantado de montar un número, quiero decir un trío, porque tenía una cara preciosa de degenerado con mucho aguante, pero yo en el fondo para estas cosas soy una estrecha, la mar de clásica—, y en Marabú, mientras duraba el espectáculo, el marroquí, que se llamaba Drissi, se ponía ciego de güisqui a cuenta de su Begum particular y alternaba como un salido con todo el mundo. A nosotras nos dijo que dormía en una pensión por Tirso de Molina. El lío duró como cuatro meses, y La Plumona hasta le hizo al marroquí y a sus cuadros un reportaje a todo color para la revista de los domingos de su periódico, y La Begum le estaba la mar de agradecida. Pero de buenas a primeras el Drissi empezó a decir que le habían salido planes para exponer en Barcelona, y un buen día cogió el Talgo y La Begum, La Plumona y yo le acompañamos a Chamartín, que es un sitio donde siempre hay muchísimo ambiente. Después, durante una semana, La Begum se gastó una fortuna en conferencias, hasta que una noche, en Marabú, y por una ridiculez de la que ya ni me acuerdo, La Plumona, que estaba medio borracha, le largó de sopetón toda la verdad: que no hiciera el ridículo, que con Drissi no tenía ella porvenir ninguno, que el Drissi era capaz de chulear a doña Carmen Polo y a don Salvador de Madariaga —que entonces se hablaba muchísimo de él— al mismo tiempo si se terciaba, y que durante todo el tiempo que estuvo liado con mi amiga, ella, La Plumona, le estuvo dando cama, cobertor y guerra en su casa, y que había que ver cómo era aquel hombre de potente y de incansable. Fue un golpe. Además, se veía clarísimo que también La Plumona lo estaba pasando fatal.

Y encima la dejó medio arruinada; Drissi le sacó todo lo que quiso. Fue como para caer muertas directamente. Y, sin embargo, aquella vez La Begum se portó de película. No dijo esta boca es mía, se encerró en el retrete durante un rato largo, salió radiante, hizo su número como si tal cosa —a mí me parece que hasta se esmeró— y, al día siguiente, cogió el tren para Barcelona, de noche, sin más que lo puesto, dos pares de guantes —ella casi siempre lleva guantes, le parece un detalle enigmático; pero aquella vez metió además en el bolso unos de repuesto—, y lo demás me lo contó a la vuelta: «Nada más llegar, derrengadita como estaba, me fui derecha a su dirección —por cierto, un apartamento de lujo, figúrate—, llamé, me abrió en pelota viva, que estuve a punto de echarlo todo a perder cuando lo vi con todo lo suyo al aire, pero la cara que puso es que ni te la puedo explicar, como si viera visiones, el muy puerco, y yo, sin decir ni mu, de lo más señora, le arreé dos bofetones que todavía se tiene que estar rascando, y me quité los guantes y se los tiré a la cara y allí mismo, en el descansillo de la escalera, me puse mis guantes limpios, desinfectados, y después, en un taxi, tal y como había ido, me fui directamente a la estación y me vine a Madrid en el primer tren». Ella es así.

Desde entonces ella con La Plumona ni se saluda. La Plumona cada vez va menos por Marabú y a mí me da lo mismo, en el fondo es una matraca, siempre con su cantaleta de explicarse por lo fino, que acaba siendo muy jartible, y por mucho que quiera presumir de machirula es más mariquita y más cursi que un pionono con cofia. Huy, lo mismo estaba la tía, aquella noche del 23, dando el callo como la primera en busca de alguna noticia, que si en Radio Madrid y en Radio Intercontinental los que más gasto hacían eran los de deportes, esas voces que ni siquiera a mí se me despintan, y eso que de fútbol jamás he entendido nada, sobre todo de lo que es el fútbol contado por la radio, que no se ve —otra cosa es cuando dan un partido por la tele, que un ratito siempre me gusta verlo, para echarles un ojo a los futbolistas que están riquísimos, o las fotografías de los periódicos, que más de una me ha quitado el sueño durante dos o tres noches—, pues así y todo las voces de José María García y de Miguel Vila las reconoce cualquiera con sólo oír dos palabras, que si en Radio Madrid y en la Intercontinental, ya digo, esos dos estaban dejándose la faringe en el micro, también La Plumona, por mucho postín que quisiera darse y por muy encopetada y perdonavidas que ella sea, tendría que estar en algún sitio, a la caza de novedades y cumpliendo con su obligación. Y yo creo que si de pronto me acordé de todo el lío de La Begum, La Plumona y el listillo del Drissi fue porque, de no haber pasado lo que pasó, igual hubiera podido yo en aquel momento intentar localizar a la del periódico y pedirle que hiciera alguna gestión, por si mi amiga estaba en algún apuro, que los reporteros siempre tienen muchos conocimientos y su carné y bula para meterse en sitios que las demás mortales ni soñarlo. Pero no estaba el horno para bollos, la verdad.

Y el caso es que oyendo a José María García contando toda la movida, con ese estilo tan suyo, yo me atorrullaba un poco y se me iba el santo al cielo y me liaba a pensar en lo que no debía. Y es que, pienso yo, todas tenemos una capacidad para las cosas, tanto para lo bueno como para lo malo, quiero decir que lo mismo si te llevas una alegría muy grande que un sofoco gordísimo llega el momento en que ya no te cabe más, y a partir de ahí pues una va y desvaría, y lo que siente a partir de ese punto ya es otra cosa. Es lo mismo que cuando veo en alguna revista extranjera a uno de esos negros con un tranco kilométrico y del grueso de un bidón, que siempre pienso para qué tanto, si el gusto tiene su medida y su tiempo, y todo lo que se salga de ahí son ganas de desperdiciar. Así que oyendo a los del deporte me acordaba sin querer de algunas cosas que a mí, sin ser lo que se dice una forofa, siempre me han impresionado una barbaridad. Y es que hay que ver cómo es el Chúster ése, un querubín, con ese pelo tan lindo que tiene y ese tipazo y ese geniecillo de chiquillo malcriado, que se le nota hasta en la manera de correr. Y a mí otro que me gustaba horrores era el Solsona, que jugó en el Español y en el Valencia, me parece, que se gastaba un aire chuletilla de lo más salado, y en *El País* —que es el diario que una lee, porque se lleva y, además, te lo cuenta todo divinamente— sacaban mucho una foto de ese muchacho que era una tortura, a mí me daban vahídos cada vez que la veía, que sale él corriendo con el balón, con el viento de cara, y todo el calzón pegado a sus partes con un tino que es una exageración. Otra foto que en *El País* también dan mucho, y que tiene también morbo a esportones, es una de Juanito arrodillado, espatarrado y agarrándose los dos muslos con las manos, a la altura de las ingles: una cosa de museo. Pues a cosas así se me iban las mientes, mientras el transistor daba cuenta de la bulla que se iba formando junto a las Cortes y en la televisión daban unos documentales de bichos. Y es que pasaba el tiempo y para mí seguía aquella inquietud de no saber nada a ciencia cierta, de no saber de verdad cómo acabaría todo, y de poco servía que se quedaran afónicas las pobres tratando de rellenar el tiempo contándote cien veces el trajín de los que estaban fuera, que una agradecía muchísimo el esfuerzo, la verdad, y no es que quiera quitarles méritos, que si por mí fuera me las comía a besos, por competentes y por echadas palante, pero lo que hacía falta era saber lo que pasaba dentro, claro que los pobrecitos míos de los locutores tampoco sabían gran cosa, y lo único que yo conozco que da mucho de sí con poquísima ayuda son las lentejas, que les echas nada y mitad y las dejas a fuego lento y al final te quedan riquísimas.

Eran más de las once cuando sonó el teléfono, la primera vez, y no sé si alguien puede imaginarse el vuelco que me dio el corazón. Si era La Begum, seguro que estaba en peligro. Pero por lo menos sabría que estaba viva y dónde llevarle sus cosas: su biutibox, su neceser, una muda y su álbum de fotografías, que a ella siempre le consuela mucho: cada vez que le entra la depre o coge un berrenchín, se echa en la cama como Marle Oberon en *Cumbres borrascosas* y se harta de ver fotos de ella cuando chica y de toda su gente.

Pero no era La Begum. Era el Paco.

—Hola —dijo, con esa voz tan simple que se gasta, y yo me di cuenta de que estaba medio sonriente, porque eso se nota, y me dio coraje, que no me podía explicar qué era lo que le hacía tanta gracia. Lo que pasa es que no tenía ganas de discutir.

—¿Llegaste bien?

—Sí. Menuda ruina. Pero mi madre tiene fiebre. Está muerta de miedo.

Cuando dijo eso se rió por las claras, pero bajito, que yo creo que hasta él, con lo pavisoso que es, se barruntaba que no estaba el patio para muchas bromas. Y para mí que, si aquella noche, mientras hablaba conmigo por teléfono —sólo cinco minutos, y sólo para decir babiecadas, que para más la inteligencia de la criatura no da— se cachondeaba del miedo y de la calentura de su querida mamá, que por lo visto veía ya carceleros por todas partes —más o menos como yo—, y hasta se permitía juguetear con la posibilidad de que de pronto le llamaran a filas, cuando había conseguido librarse de la mili después de mes y medio en el cuartel, a cuenta de una úlcera la mar de oportuna, y si me preguntaba con muchísima malage qué tal me sentaría a mí el uniforme, que, si se armaba, hasta servidora y La Begum y todas las nacionales de Marabú seríamos unas reclutas como todas, y si se hacía el memo un poco más de lo corriente —que tampoco tenía que herniarse— era porque también él estaba que no le cabía el canguelo en el cuerpo. Sólo que, para sus entendederas, tenía que disimular, porque él va por la vida de macho, y contra eso servidora sí que no tiene nada.

Mi Paco también se pirra por el fútbol, que es lo que corresponde a cualquier chulo de barrio que todavía no se haya echado a perder del todo. El se da un pisto horroroso y todos los lunes me cuenta su vida, quiero decir sus habilidades de delantero centro, que juega en el Congosto, un equipito la mar de gracioso del pueblo de Vallecas. La verdad es que yo fui a verle dos o tres veces el pasado verano, que venía a buscarme en su coche a las ocho y media de la mañana y allá iba yo medio grogui, quitándome la soñera a manotazos, arreglada de cualquier forma y, la primera vez, con un apuro grandísimo, porque una ya se achara poco delante de la gente, pero aquello de todas maneras iba a quedar un poco raro, a semejantes horas de la mañana —que de noche parece que cualquier cosa se consiente más— y en campo abierto, que una siempre queda más desamparada. Pero qué va, todo resultó la mar de simpático, mi Paco me presentó a todo el equipo, di muchísimos besos, vacilé un poquitín con los dos o tres que mejor estaban, sin que a mi Paco le diera ninguna aprensión, y hasta hice el saque de honor con los de uno y otro bando aplaudiéndome una barbaridad. Yo me sentía como una miss o como la reina de unos Juegos Florales y, después, durante todo el partido, estuve en el banquillo de los suplentes, que me dejaron el sitio de honor, mientras el entrenador andaba todo el tiempo de un lado para otro pegando saltos y dando gritos; a mi Paco le chillaba una barbaridad y yo me di cuenta de que le estaba poniendo un poquito nervioso, que el hombre quería lucirse para que yo le viera y la verdad es que aquella primera vez no hizo nada del otro mundo. Pero yo me lo pasé la mar de a gusto, porque, además, uno de los suplentes, que estaba de moja pan y come y que en seguida se puso a mi vera, achuchándome con la patorra todo el rato, me lo explicoteaba todo la mar de bien y se notaba mucho que a la criatura el cuerpo le estaba pidiendo triquitraque. A mí eso me encanta.

Aquella noche del 23 no es que pensara mucho en mi Paco, pero, después de aquella llamada que él me hizo para decirme que había llegado bien y que estaba a salvo, me estuve acordando un poco de mi historia con él, de los ratos buenos y malos que habíamos pasado juntos, de todo lo que sabíamos el uno del otro y de lo bien que se le ha dado siempre el catre al gachó. Porque mi Paco, la verdad sea dicha, es un poquito cuajón y bastante pejiguera, pero de carrocería está un rato bien, y la maneja con muchísimo entusiasmo y sin ningún remilgo, que a todo le saca él un disfrute. Y a mí me parece que por eso lo suyo me ha durado bastante. No ha sido porque, si se le mira con buenos ojos, se da un aire a Raian Onil. Qué va. Alguna vez me he encaprichado yo con un niño monísimo, pero que a la hora de la verdad se ponía más lánguido y más estrecho que la Chincueti con aquello de «no tengo edad», y a la tercera ya había perdido yo todo el interés. Mi Paco, sin embargo, nunca dijo a nada que no, y siempre se le notaba la satisfacción.

Así que cualquiera que se piense que servidora es una espiritual anda equivocado de medio a medio. Claro, en el fondo yo no creo que eso se lo crea nadie, pero de vez en cuando me pongo a cavilar en estas cosas y a mí me parece que me haría ilusión encontrarme a alguien que me viera como una mujer de las formales de toda la vida, no una pazgüeta de las que no se enteran de la misa la media, sino sencillamente una tía con personalidad, que sabe decir que no cuando hay que decirlo, que sabe elegir por su cuenta y además ser exigente, y si no encuentra nada que la convenza del todo pues pasa, sin ninguna clase de complejo, se lo monta por su cuenta o con otra gachí, si eso le convence más, y no se deja avasallar por nadie. No es que yo diga que me gustara del todo ser así —que una es polvorilla de nacimiento y eso no hay manera de quitárselo de encima ni a la hora de fantasear—, sino que me gustaría encontrar a alguien que me tomara por una de ésas, que no me tomara desde el primer momento por una cosa sencillita, que fuera calculando por su cuenta la forma de camelarme, que sufriera muchísimo por mí, y que al final me pidiera que lo dejara todo y me dedicara solamente a cuidarle. Yo seguro que le diría que no, pero la ilusión y el orgullo no me los iba a quitar nadie.

Me barrunto que eso no va a pasarme nunca. A esa conclusión, tan tristísima, llegó una servidora aquella noche del 23 de febrero, mientras le rezaba a mi Virgencita de la Caridad con una unción como para sacarme en los periódicos, y mientras me sentía de repente más sola que nunca, con La Begum cualquiera sabía dónde, el simple del Paco abanicando a su madre para que le pasara la alferecía y el Tejero empeñadito en armarnos aquel trastorno tan enorme, que al final seguro que tendría mi gracia, La Madelón, que tirar a la alcantarilla todos los trajes y pamelas, y no habría más remedio que volver a ir por la vida de incógnito.

Y eso que yo siempre he pensado que a la vida hay que echarle codicia —que así por lo menos se menea un poquito la sangre—, y que más vale desnucarse que morirse de asco o de aburrimiento. Pero lo que pasó aquel día, durante toda la noche, me sirvió para descubrir que, en realidad, una es una mujer frágil, y que eso es una desgracia grandísima.

Y es que en aquel momento tuve yo otro bajón de la moral, algo parecido a cuando, un rato antes, me dio por dejarme caer por culpa de la resignación, pero lo que me pasó luego fue un poco diferente, porque no era que servidora estuviera deprimida y sin coraje, sino que estaba confusa, que nada lo veía claro, que mirara para donde mirase todo andaba como moviéndose, y en el fondo era como si ni siquiera supiera a ciencia cierta quién era yo. La Plumona lo dejó escrito en aquel reportaje tan grandísimo que escribió sobre nosotras en su periódico: «Ellas encarnan, como nadie, la tragedia y la gloria de la imprecisión, del tránsito, el drama del trasvase de una tierra a otra, el dudoso y pícaro vodevil del balanceo entre un sexo y otro. Ellas son puro trasvase, puro balance, la quintaesencia de la emigración, desterradas españolitas de a pie, criaturas movedizas y errantes, exaltados nenúfares que flotan en las aguas más turbias del día y de la noche». Me acordaba yo, por encima, de todas esas cosas tan repipis, pero en el fondo tan verdaderas, me parece a mí, y busqué el reportaje —que lo tenemos guardado en el álbum de nuestros recuerdos y fotos de artistas— y me lo leí despacio, tratando de comprenderlo todo, que aunque La Plumona es un poco novelera y un poco estirada escribiendo, a veces tiene su miga.

Pues con aquel periódico en la mano y en plena crisis de identidad —que creo que se dice así— me pilló la única alegría verdadera que tuve yo aquella noche. Estaba yo dándole vueltas a lo de los nenúfares, que desde que lo leí por primera vez me gustó bastante. Y en ésas, y por lo que decía la radio, el general Aramburu Topete —que es un nombre la mar de pegadizo— se traía un ajetreo serio de verdad, venga a entrar y salir, que me lo imaginaba yo muy serio y muy en su papel, y además se decía que dentro de nada el rey echaría un discurso, que eso sí que podía traer un poquito de tranquilidad, pero es que ya llevaban diciéndolo un rato y por televisión sólo seguían dando bichos de todos los colores. De modo que estaba servidora con la desazón saliéndole otra vez por los poros cuando, de pronto, y como si no hubiera ningún otro ruido en toda la casa, escuché divinamente el rasque de una llave en la cerradura de la puerta de la escalera, y es verdad que podía haber sido la bofia —que me parece a mí que en tiempos de Franco tenían las llaves de todos los pisos de España, que creo que era una obligación de los que construían casas hacer dos juegos de llaves, y uno completo mandárselo al Generalísimo—, pero en aquel momento eso ni se me ocurrió, y pegué un salto y me tiré como una loca al recibidor, hecha un puro grito:

—¡Pedrín!

Nos abrazamos con una desesperación que no es para contarla. Bueno, la verdad es que a mí me parece que ella no se esperaba una cosa así, tan temperamental, pero luego, viendo que yo estaba con un ataque de nervios, apretujándola como si estuviera a punto de irse a la China, ella debió de comprender que pasaba algo gravísimo y se lió a apretujarme a mí con la misma dedicación. Fue una cosa bastante dramática. Si voy a ser legal, tengo que reconocer que no sé por qué la llamé yo por su nombre de antes, por su nombre de hombre, por el auténtico —que en el carné de identidad de La Begum todavía pone, naturalmente, Pedro Romero Torres, que es un nombre ideal, pero yo creo que para llevarlo por la vida hay que ser por lo menos una miajita macho, no quiero decir machirulo a tope, pero al menos que no vaya una por el mundo dando el cante—, pero supongo que debió de olvidárseme de pronto toda la decoración y lo que me salió en aquel momento fue mi amistad de siempre, la de toda la vida, que es una cosa tan bonita y tan dulce.

Abrazadísimas, dejándonos cardenales de tantísimo como nos estuvimos achuchando, pasamos al saloncito y allí se me empezó a calmar un poco el telele. Durante un rato yo estuve medio sonámbula, que eso me pasa mucho cuando me entra una emoción muy fuerte, y para mí que tardé una cosa poco corriente en volver a lo que es mi natural, a empezar a enterarme de lo que iban diciendo entonces por la radio y a darme cuenta, de verdad, de que La Begum por fin estaba allí, en casa. Y de repente me di cuenta del rato tan malísimo que yo había pasado por culpa de aquella ritajeiguor, y me la encaré:

—¿Pero dónde has estado, grandísimo putón?

—Ay, hija; en el Carretas.

Casi la mato. Porque se acurrucó como una gata persa —que ella siempre es igual de elegante— en un rincón del sofá, y a mí cada vez que la veo hacer eso se me ablanda el genio, pero si no es que le saco los ojos. Yo allí pasando una fatiga espantosa desde las siete de la tarde, y la tía en el Carretas, dando bandazos, dejándose avasallar —porque la muy salvaje se deja avasallar, ella no se conforma con cualquier cosa—, haciendo miles de contorsiones para quedarse a gusto por todas partes —bueno, ella siempre dice que por todas partes menos por una, menos por su oído izquierdo, que eso se lo reserva para el Juicio Final, que siempre estuvo la mar de preocupada con aquel misterio de la resurrección de todas al mismo tiempo y le hacía

84

muchísima ilusión, que lo mismo se encontraba cara a cara con el Agacán, su sueño de siempre, y al menos podría ofrecerle al hombre una primicia, un cachito de virginidad, el único rincón por donde ella está todavía entera, ese agujero aún no barrenado, ya digo, su oído izquierdo, que a mí en el fondo me parece una cosa bonita, ¿verdad?—, y encima gratis, porque ahora la tía, desde que es artista, se permite el lujo de elegir y ofrecerse enterita a cambio de nada, no como en otros tiempos, en los buenos tiempos de la Castellana, esquina María de Molina, que aquello era un jubileo, como dice siempre La Peritonitis —La Peri, para abreviar; una de Calahorra, que hay que ver los sitios tan rarísimos de donde puede ser la gente—, cuando a ella no le daba ningún empacho pasarse la noche entera en el bajaysube de un coche a otro, que entonces sí que era una bendición, quiero decir la mar de productivo, que allí por cierto conoció ella al menda que la iba a hacer estrella de cine —el del cine se llamaba Horacio y se daba un aire a James Can, charlaba por los codos, le dio una tarjeta la mar de pomposa y la citó para el sábado por la tarde en una oficina de Hurtado de Mendoza, por Costa Flemin; ella se arregló muchísimo, se pintó como un coche, se duchó con un litro de colonia fresquita, pero de mucho paladar, y se presentó en la oficina puntual como un inglés; allí había un par de nenas con más kilómetros que el baúl de la Piquer, un niñato descompuesto por los nervios y con una pinta de madre que era una exageración, un gachó bizco hasta doler y que por lo visto tenía que ser el director del invento, un extranjero la mar de aparatoso que iba en plan de asesor, y el tal Horacio, más contento que unas pascuas; a La Begum le explicaron a trompicones su papel, la martirizaron a pellizcos a la pobrecita mía, y a la hora de la verdad, antes incluso de que a ella le tocara intervenir, el galancito falló, dio el gatillazo, que La Begum me dijo que aquello se veía venir desde el principio, y entonces, en un santiamén, se armó un guirigay de muerte, el tal Horacio y el bizco se encueraron, el americano se hizo cargo del chisme de rodar, echándole al asunto muchísima parsimonia, y La Begum se vio de pronto por los suelos, ocupadísima por todas partes, y sin que le dieran oportunidad para poner un gesto un poquito mono; mil duros le dieron por aquel enjuague y la verdad es que se le bajaron los humos durante una temporada, ella que soñaba con cepillarse limpiamente a todo el hombrerío de Jolibú, e ir al supermercado en Rolls, como seguramente iba Vivian Li Luego, cuando la metí a artista, la verdad es que se calmó un poco —y de eso es de lo que más me alegro, de haberla quitado de la calle, que ella no sufría nada, qué va, al contrario, a mí me parece que se divertía una enormidad, que por un camastrón inmundo que tenía que lidiar, le caían cuatro o cinco ejemplares la mar de potables, y alguno que otro superior, pero aunque ella lo hiciera con tanta satisfacción a mí me daba un agobio malísimo, y mi trabajito me costó que la cogieran en la sala, al principio sólo para hacer figuración, que a fin de cuentas guapa sí que es un rato, y así como medio exótica, y después poquito a poco se fue soltando y al final se montó un «Ojos verdes» que no le salía lo que se dice fatal, y cogió muchos berrinches, porque ella se daba cuenta, como todos, de que talento no tenía, pero yo a ella sí que le tenía ley de la fetén y no la podía dejar haciendo la carrera para toda la vida—, pero, eso sí, se envició más que nunca con el mogollón del Carretas y de la estación de Atocha —que todo eso del atavismo, la verdad, es sólo literatura de la peor, folletín podrido— y se pasaba las horas muertas en el cine, con las enaguas hasta el cogote, o en los meaderos de la estación, con aquella caterva de moracos desnutridos mosconeando a su alrededor, y ella metiéndose en los cagaderos que tienen un agujero en la pared, un agujero a la altura de la bragueta de cualquiera que, en todo caso, se agache o se empine un poquito... A mí me da un apuro serio de verdad contar las cosas así, tan a las claras, que todo eso de La Alhambra, con su Patio de los Leones, y sus Jardines del Generalife, y La Begum bajando por el Albaicín con una cesta de dátiles, es una monería, pero más falso que el

Nixon jurando con el moco puesto que él no le daba al cotilleo por cable. Y es que La Begum es demasiada mujer para ir por la vida en plan cromo con funda de plástico. Y yo no digo nada.

A mí lo que me jeringó —y más que nada por el rato tan perro que me hizo pasar— fue que aquella noche no supiera contenerse un poquito. Sólo por una noche y, digo yo, por una pizca de respeto.

—Pero criatura, ¿tú sabes la que hay liada?

Y ella me dijo:

—Una de guerra.

Aquello era para trinar. La tía estaba al tanto. La muy lagarta se sabía de pe a pa el zurribarri que había montado en las Cortes, pero nadie diría que estaba traspasadita de dolor, qué va, nadie se podía pensar ni por un momento que La Begum tenía los siete puñales en la pechera, buena era ella para cogerse un disgusto por algo que no fuera la chilaba de algún abderramán, con lo remirada que ella es para seleccionar sus padecimientos. A ella todo lo que se le ocurría es que de allí podía salir un peliculón de los de no olvidar nunca, con el Mambrú aquél haciendo de Burlan Caster —que ella está convencida de que el nombre de ese pedazo de tío se escribe así— en *De aquí a la eternidad*, o mejor todavía de Errol Flin en *Murieron con las botas puestas*, que si nos descuidábamos así íbamos a acabar todas, pero al contrario: pisoteadas. Ella lo supo tarde, porque del Carretas por supuesto no se salió hasta que se acabó el último pase, y eso que las películas que echan ahora son todas iguales, llenas de tías empelotadas y cada dos por tres metidas en un bollerío, que muchas veces ella hasta tiene que cerrar los ojos porque se le revuelve el estómago, y también salen tíos, claro, pero la pura verdad es que muy rara vez se les ve el mandado, y a eso se le llama en todas partes discriminación; La Begum antes, cuando ponían películas corrientes, muchas veces hasta no echaba cuenta de la burbulla que se trae el personal, de un asiento a otro, o apelotonados en el pasillo del fondo, porque a ella lo que le pasa cuando va al cine es que se mete mucho en los argumentos y en seguida se ve de protagonista, y entonces ya puede venir un jeque de esos que mean petróleo, que ella ni caso; pero cuando las películas no tienen fundamento, con algo se tiene la pobre que distraer, y se le va el tiempo en poner la grupa, que la tía la tiene más sobada que la porteñuela del rey Faruk. Así que lo supo tarde, porque en el loquerío del cine Carretas el radio macuto sólo funciona para avisar, de higos a brevas, que viene la poli, pero el resto del mundo ni existe, ni mentarlo, y por eso cuando ella, bien abrigadita y con el tubo de escape a tono, llegó a la Puerta del Sol, se encontró con aquello completamente tomado, con los coches de la policía alborotando una barbaridad, barreras de esas amarillas de hierro tapando el arranque de la Carrera de San Jerónimo, y las pocas personas que se encontró vestidas de civil iban todas con un apuro grandísimo, y ella al pronto pensó que alguien muy importante se había muerto, pero se metió en el único bar abierto que encontró, a tomarse un sangüich, que estaba desmayadita, y allí se lo contaron todo. Me dijo:

—Esa criatura es capaz de hacer una escabechina.

—¿Y no se te ha ocurrido, cabezón de ladrillo, que en cuanto salga lo mismo viene derechito a por ti?

No se le había ocurrido. Es que no comprendía por qué. Ella no le hacía daño a nadie. Ella no se metía más que en sus cosas. Lo mío, en cambio, era distinto. Si es que eso me pasaba por creerme yo santa Juana de Arco o santa Agustina de Aragón —que La Begum estaba dispuesta a canonizarlas a todas de repente—, si es que eso era todo lo que yo iba a sacar en limpio por roja. Y se me fue encarando la tía, soliviantándose poco a poco, echándome en cara —con unos modales pésimos, que en momentos así es cuando le salía de verdad la algecireña barata que no ha dejado de ser nunca, por mucho teatro y mucha danza del vientre que quiera echarle— mi manía por el politiqueo, los mítines a lo Jane Fonda que yo me montaba por cualquier minucia, y sobre todo aquel empeño mío por llevarla siempre a mi vera, hala, de manifestación en manifestación, siempre las dos juntas como una collera de gallaretas frenéticas, que no había por qué, y sobre todo no había ninguna razón para encasquetarle a ella fama de lo que no había sido jamás. Ella siempre fue neutral, decía, y no era justo que se viera, sin comerlo ni beberlo, en un apuro de muerte.

—Por tu culpa. Sólo por tu culpa.

Pero no era verdad. La Begum no tenía razón. O, por lo menos, no la tenía del todo. Es verdad que al principio servidora tuvo que insistir una enormidad para que ella me acompañase a alguna manifestación de ésas a las que es de ley acudir —por ejemplo, decirle que no a eso de las nucleares, que en un santiamén se queda una esquelética y contaminadísima, y con la sangre hecha agua, como haya un escape y te pille; o las del 1 de mayo, pidiendo trabajo y pan, que es lo mínimo; o incluso las de las feministas, que un poquito cafres sí que son las tías, pero las pobres también tienen derecho: a mí me gustó una enormidad aquélla, en las Salesas, cuando todas íbamos con un cartelón que decía: «Yo también soy adúltera»—, pero a otras ella se apuntaba la primera, y si durante un ratito se hacía de rogar era sólo para hacerse la interesante y que no me fuera yo a creer que todo el monte era orégano. La verdad es que las manifestaciones del orgullo gay son siempre la mar de animadas, y van unos muchachitos un poco estrafalarios, pero la mar de comprensivos y casi todos rojísimos, que es una cosa que me encanta. A servidora el rojo le favorece. Pues en ésa La Begum, con servidora desde luego y con La Peritonitis y La Pizqui —y seguramente alguna más, pero ya de segunda división—, estuvo en primera fila, aunque la guasa fue que, después, en una foto así de grande que sacaron en *El País*, a ella y a mí no se nos veía, nunca he podido explicarme por qué, y sin embargo La Peri y La Pizqui me parece a mí que salieron hasta en el Nodo. Eso a La Begum le sentó fatal. Y, sin embargo, aquella noche, después de decirle yo que no se lo tomara tan a lo frívolo, después de hacerle una comprender que el Tejero suelto podía ser más peligroso que una piraña en el bidé, la tía, a quien el flujo se le habría cortado de pronto, como la mayonesa, que había que ver cómo se puso, escupiéndome —porque ella, si se excita, te salpica de la cabeza a los pies de saliva cuando habla, que ya le tengo dicho que ponga a mano jabón y toallas—, manoteando como una verdulera napolitana, echándome en cara mi loquerío comunistón, acusándome con muchísima ordinariez de ser yo la culpable de que ella estuviera fichada por alguna fotografía comprometida. La muy bruja.

Pero por lo visto no quería ni acordarse de aquella otra manifestación en la que yo pasé un rato tan malísimo. Y no voy a decir que yo fuera engañada, porque no es verdad, pero desde luego la idea fue de La Begum y de La Soraya, que menuda arpía con cascabeles es ésa. Y lo auténtico es que me tuvieron que convencer, porque yo tenía unos escrúpulos exagerados, que aquello fue una locura de las más grandes que yo he cometido jamás, pero una, como todo el mundo, también tiene sus momentos lacios, y acabé diciendo que sí. Y es que fue, hace dos o tres años, que mejor ni me acuerdo, uno de esos domingos en que todo el loquerío facha se arremolinaba en la Plaza de Oriente, que hay que ver cómo eran, pero La Soraya decía que podía ser la mar de excitante, que toda esa gente suele ser la mar de guapa, que hasta los había con unos uniformes a lo nazi que a ella le ponían la carne de gallina, y con unos perrazos de espanto, que yo no me explico cómo no acabamos hechas piriñaca, y La Soraya, medio histérica de miedo y de gusto —que hay que ver la marcha tan rarísima que a veces se busca la gente—, explicaba que en el fondo todo eso a ella le rejuvenecía. Habráse visto. La Soraya se llama de verdad Cameron Hunter, que si una se fija bien es un nombre machísimo, y es americana del Norte, y más propiamente de Oío —ella dice de Ojaio o algo así, pero sólo para jeringarla las amigas decimos siempre Oío, que suena una barbaridad a pasada por la piedra en plan salvaje—, y su madre es sueca, y La Soraya dice que su segundo apellido es Bergman, aunque no lo use, claro que habría que saber si eso es verdad. Cuando mocita, La Soraya fue primera bailarina en un conjunto sueco de dos italianos, y ella estuvo liada siete años con el más hermoso de los dos dueños —que así me imagino yo que se comprenden muchas cosas, porque así de pronto ella resulta más desgualdrajadita que una babucha con rizos—, y recorrieron media Europa y, como ella dice, Oriente entero tres o cuatro veces, que siempre está hablando de aquel tiempo y se repite más que una ensalada de pimientos asados, y como en cuestión de gustos es más o menos de la misma cuerda que La Begum, no para de contarle a mi amiga sus aventuras con todos los príncipes y millonarios de la zona, y sobre todo con un primo hermano de Soraya, que de ahí su mote —aunque La Peritonitis, mala como es, le dice siempre La Repudiá—, y es para vomitar ver cómo se queda La Begum de embobadita escuchándola, con la boca hecha agua, y muertecita de envidia, por mucho que lo niegue. Pero antes, nada más entrar en el ballet, tuvieron por lo visto que atravesar Alemania, y entonces se acababa de terminar la guerra, lo que da una idea de lo antigüísima que es esa mujer; y siempre dice que el recuerdo de ese viaje le quita muchas noches el sueño, sobre todo porque se acuerda de las cosas tan horribles que él escuchaba cuando chico sobre los nazis, especialmente de aquello que decían de las mujeronas jugando al fútbol con las cabezas de bebés judíos, y es una cosa que la deja hecha polvo, según dice, pero no por eso va ella a negar que había alemanes de morir de guapísimos que eran —y eso también lo reconoce servidora, sin empacho ninguno— y que, después de todo, eso era, o algo por el estilo, lo que podíamos encontrar aquel domingo en la Plaza de Oriente. Qué sofocón.

Nos vestimos las tres de falangistas, la mar de monas, con las gorritas ladeadas, una faldita azul marino, un correaje —a la cintura y cruzando el pecho— finito pero de calidad, botas altas, guantes de cuero, y las mangas arremangadas hasta los codos. La pura verdad es que parecíamos sacadas de una fotografía de época, que hasta nos maquillamos a juego y La Soraya era clavadita a la Pilar Primo de Rivera cincuentona. Al final la muy pánfila lo estropeó —y es que no hay una extranjera que no tenga el gusto en el tentenpié—, lo jorobó por cabecidura —que a La Soraya cuando alguien le mienta ese defecto se le sube el pavo y es feliz; ella siempre dice, la mar de orgullosa, que no lo puede remediar, que ella es eslava, que por lo visto eso es algo y tiene mucho que ver—, echó a perder todo el efecto por emperrarse en sacar un abanico, que había que verlo, un abanico amarillo y colorado, por Dios, los colores de la bandera, una cosa exageradísima que ella usaba en un número con música de Cachaturian, o como se diga, o sea allá por el año catapún, un abanico que —vestida como iba de Charlote Ramplin, pero en basto— le pegaba menos que a un pitijopo unos serones. Pero ella no quería darse cuenta, no quería comprender que aquello era una catetada imponente, un disfraz del tamaño de una cajamuerto con toldo. Porque además es que no hacía nada de calor, que hay que ver la temperatura tan ideal que hay siempre en Madrid hasta cerca de Nochebuena, que desde luego es el tiempo más precioso, quiero decir antes de que entren los fríos, cuando todo es rubio y como puesto a dorar con un cuidado grandísimo.

A la sicópata de La Soraya, que cuando alguien le lleva la contra se pone estiradísima, no hubo forma de bajarla del burro, y allá nos fuimos las tres, hechas un cromo, con La Soraya en medio, y ella venga a menear el abanico, y encima haciendo virguerías, o sea como las mayoretes, que íbamos armando el taco por donde pasábamos y, mira, eso tenía su gracia, porque había gente, sobre todo mayor, que al vernos arremangaba el hocico y rajaba horrores, «qué barbaridad, qué mamarrachada, qué esperpento, esto no debería consentirse» y cosas así, pero después había chavalitos —y no tan chavalitos, las cosas como son— con unas ganas locas de pangelingua y, bueno, algunos se desinhibían que daba gloria, aunque, eso sí, todo la mar de patriótico, huy, muchísimo, y con un esportón de vivas a todo lo de antes —que empachera—, y después un diluvio de ordinarieces contra todo lo de ahora —qué jartura, por Dios—, yo con eso me ponía mala, que no hay ninguna necesidad, porque, si supieran comportarse, el cisco tan vicioso que arman quedaría hasta simpático y con gancho a su manera, y es que fotogénicas por lo menos sí que son.

La mar de fotogénicas. Que nos lo digan si no a nosotras, que una víbora reportera de las de *Cambio* sacó a La Soraya con su abanico en primer plano, a ver si no es para desbaratarse, que después de la faena la gachí pasó una temporada fatal, que veía requetés desquiciados por todas partes y eso la tenía en una angustia perpetua, porque además ella fue la única que salió en la foto, que servidora se escondió a tiempo y La Begum salió de movida que era imposible reconocerla, menuda frustración. «Para una vez que iba a salir en los papeles sin apenas coba, o sea tal como una es, tiene que tocarme un retratista de los modernos», decía la tía. Pero es que no podía ser de otro modo, que a la criatura le dio como sicodélico en cuanto se vio de lleno en el zarandeo de la Plaza de Oriente, en el meollo mismo del cotarro, y se pasó toda la función dando más saltos que un cigarrón con sarna.

Por mi parte, no me da grima ninguna reconocer que a ratos me lo pasé bien —porque servidora es mujer de contrastes, o sea lo mismo que una ruta turística del Club Vacaciones—, aunque cuando me ponía a cavilar que todos aquellos uniformes eran de pacotilla, me desinflaba, y si me venía al pensamiento que a la turba en danza podía darle la furibundia y el frenesí modelo Cruzada contra nosotras, entonces es que se me abrían las carnes y ya me veía yo despelucada del todo, a tope y para siempre.

Y el caso es que estuvimos hasta las tantas y acabamos muertas. Y yo con un cargo de conciencia espantoso. Y La Begum feliz, porque ésa será una inconsciente toda su vida, una especie de Pipi Calzaslargas, pero al cuscús. Y encima, aquel 23 de febrero, con el tiberia que se había formado, y si al Tejero se le daba bien —que aún no se sabía nada por lo fijo—, todo su entusiasmo franquista a La Begum no le serviría de nada; en la foto de *Cambio,* ya digo, ella no era más que una mancha sin personalidad.

Se lo dije, con unas ganas locas de mortificarla, y la gatita se me solivantó:

—Pécora. Bicho. Comunista. La Soraya es amiguísima mía y me echará una mano.

La llamó inmediatamente. La Soraya estaba en su piso, muertecita de miedo como todas, si lo sabré yo, que ésa es una cobardona de competición, pero por lo visto con La Begum se hizo el espíritu puro. Y es que siempre la ha tratado a coces, como a una pueblerina, pero La Begum se queda obnubilada con todo lo que la otra le relata de El Cairo, de Damasco, de Beirut —que, eso sí, lo cuenta siempre echándole mucho color y mucha greca y punto de cruz—, y a partir de ahí mi fatimona ya ni siente ni padece. Aquella noche estuvieron cotilleando un rato, pero de las majaderías de siempre, y por más que La Begum no hacía más que sacarle el tema de lo que estaba pasando y de la preocupación que yo le había metido de pronto en el cuerpo, la de Oío se iba por los cerros de Ubeda, se escurría como una anguila, y a La Begum se le iba mudando el color, y empezó a morderse el pellejo de los nudillos, que es una porquería que siempre hace conforme se va poniendo histérica. Cuando colgó, descompuesta, me dijo:

—Qué tía más bruja.

La pobre parecía más hundida que el Titanic.

—¿Qué te ha dicho?

—Que todo esto con ella no va. Figúrate. Que ella es extranjera y, para un apuro, en Serrano tiene la embajada. Y a las demás, guapa, que nos zurzan.

Qué lagarta más mala y más desagradecida.

—¿De veras ha dicho eso?

—A su manera.

Valiente culebrón. Y es que todas las extranjeras son iguales. Ya se vio luego lo que dijo aquel yanqui tan importantísimo, el segundo o tercero en importancia después de Regan, me parece —y es que hay que ver lo que salía por la tele el muy pureta; por cierto, se parece a Kubala una exageración y, fuera aparte, el tío mal del todo no está, que lo cortés no quita lo valiente, y tuvo que tener unos veinte años de mucha sustancia, sobre todo de uniforme, que es ahora y el uniforme le sigue sentando de morir—, y un rato zascandil sí que parece, y encima se lo monta ponciopilato, que cuando le fueron con el recado de lo que pasaba aquí, en España, todo lo que al gachó se le ocurrió fue: «Asunto interno». Más o menos lo que dijo La Soraya. Qué gente con más malage.

En mi vida. Jamás he visto a La Begum con un nerviosismo semejante. Le entró de pronto un frenesí y una descomposición que parecía otra. Se le notaba sobre todo en su manera de respirar —que se le puso el resuello alteradísimo, como si acabara de cruzar el Sahara a la carrera— y en el manoteo —como si los engranajes de los brazos se le hubieran vuelto majaretas perdidos, y no tanto por la velocidad como por la manera tan extrañísima que tenía de menearse de un lado para otro. Embutido tenía de repente en el cuerpo un ataque de los de verdad, no uno de esos teleles numereros que ella coge por culpa de sus hombres, que cuando el ataque es auténtico se nota, sobre todo, porque no es una cosa exagerada, no es una traca, es un desasosiego grandísimo que sale de lo más hondo que una tiene, como si a una se le estuvieran resquebrajando los cinco sentidos, pero por la parte de dentro, y lo que se ve no es ni la cuarta parte de lo que una siente, y la verdad es que los nervios que entonces se escapan tienen otra clase de prisa, tienen otro ritmo, tienen un pellizco de desesperación y de miedo que es la mar de auténtico y una no lo puede confundir. Yo lo sé muy bien porque a mí me entró cuando la muerte de mi madre, y en este sentido vi yo a La Begum aquella noche, que eso no se puede disimular, y se me olvidó del todo lo encorajiná que yo estaba con ella y me dio una lástima horrorosa.

Cuando me le acerqué y le eché un brazo por los hombros, pidiéndole por favor que se calmase un poquito, ella se me revolvió arisca, me hizo un gesto feo y rabioso, como si me quisiera escupir, pero yo no se lo eché en cuenta, porque sé que cuando una se siente así hace cosas que no son de conciencia —sin tener en cuenta la amistad ni nada— y que después te pesan una barbaridad.

La desdichada parecía darse cuenta de pronto de cómo es ella de verdad. De cómo somos todas. Del pasado tan chiquitísimo que tenemos, y de lo espantoso que eso es. De lo mal que nos encaja el medio cuerpo de cintura para arriba, con el medio cuerpo de cintura para abajo. Que es una angustia malísima la que entra cuando una, por culpa de una mortificación de esas que no te dejan vivir, quiere sacar coraje de donde sea, para no partir con todo de una vez, y se encuentra con que todo por dentro lo tiene al revoltijón. Una ya no sabe lo que es suyo de verdad y lo que es postizo. Y ya no hablo sólo del rollo de la silicona o de un detallito de cirugía estética, qué va; hablo más bien de lo de dentro, de la manera de sentir, de la forma de pensar, del modo de hacerle frente a la vida. Es que llega el momento, cuando una se siente mal y hasta con ganas de acabar para siempre, en que ya no sabes ni cómo hablar contigo misma. Parece que estás hablando con un monstruito que eres mitad tú y mitad otra cosa. Un bicho de feria que tuvo una vida que ya no es suya de verdad, porque ha cambiado tanto que, cuando se acuerda de lo que fue, parece que está cogiendo lo que no es suyo, pero no ha cambiado del todo, y por eso una no puede, por más que quiera, cortar por lo sano, olvidar y empezar de cero. A mí a veces, con la depresión a tope, se me ha ocurrido si las hormonas que nos hemos metido en el cuerpo no habrán hecho que todo se nos desencaje, que todo esté como flotando, sin saber con qué machiembrarse, sin poder agarrarse a nada en un caso de apuro radical, en un caso de hundimiento, o sea de naufragio, de catástrofe. Porque una, como gente que es, cuando todo lo ve muy negro, lo que se dice fatal, perdido del todo, también tiene que echar mano a su interior, y la verdad es que el interior de una es un revoltijo tan grandísimo que mejor pintarse el ojo, plantarse un clavel reventón en el canalillo de los pechos, hacerse la sorda y salir corriendo para los toros, que se hace tarde.

Yo no sé si a La Begum se le ocurrieron estas

cosas aquella noche. A lo mejor no. O a lo mejor sí, pero a su manera. Estuvo un rato haciendo como que escuchaba la radio con más ansiedad que un quinielista, pero aquellas mujeres no daban ni por casualidad una novedad definitiva, buena o mala, capaz de devolverle a una el sosiego o, por el contrario, suficiente para hundirla al fin en la miseria más absoluta y sin arreglo posible. Se traían un ajetreo grandísimo, se subían encima de los coches, iban y venían por ese laberinto de callecitas que hay junto a las Cortes, pero seguían —seguíamos todas— sin saber de verdad lo que estaba pasando dentro. Ya era más de medianoche y, de pronto, me di cuenta de que nunca, o por lo menos desde hacía siglos, había vivido yo una medianoche así, con aquel color entintado del cielo que se veía por la ventana, con aquel estremecimiento tan especial de la luz eléctrica, que una se acostumbra a los focos de la pista, tan fuertísimos, y acaba perdiendo el tino para distinguir esos tonos tan distintos que puede tener la luz, incluso la artificial, y supongo que, muchas veces, al arreglo de como se siente una en un momento preciso. Qué diferencia. Fijándome, hasta me asusté un poco. La Begum no se había hecho nada, no se había quitado ni una horquilla, estaba igualita a como llegó de la calle, después de darse el atracón en el Carretas, y sin embargo me parecía de pronto tan distinta, tan cambiada, que me entró una congoja horrible, porque estaba desencajada —lo mismo que me pasó a mí, y me noté en el espejo, cuando llegué al apartamento, tan descompuesta— y era como si le estuvieran saliendo a la cara, con el descontrol, los gestos y aquellos melindres tan feísimos que ella tenía cuando iba por el mundo como Pedro Romero Torres, y hay que ver lo que son las cosas: en cuanto ella se encajó como mujer, se le fueron como por ensalmo todos aquellos tics que se la comían viva de la mañana a la noche, y era hasta mortificante hablar con ella, que te entraba un apuro y una inquietud que se echaba a perder la conversación, y en cuanto el palique era un poco más largo de lo corriente, acababas neurasténica y haciendo las mismas morisquetas. Claro que con el tiempo yo me acostumbré, y hasta le obligaba a hacer unos ejercicios faciales —o sea, con la jeta— la mar de simpáticos; a mí me los enseñó un marine norteamericano, grandote como una locomotora, que me ligué un verano por las Ramblas de Barcelona y que, en su barco, era como una especie de siquiatra; hablaba un español saladísimo y me juró que a mi amiga, si toda aquella gimnasia de cara la hacía a diario y con convencimiento, se le acabaría curando pronto aquel muequerío tan desagradable. Pero la pura verdad es que no le sirvió de mucho, y, en cambio, se le quitó casi de raíz y en cosa de una semana desde el momento mismo en que dijimos, las dos a la vez, la una frente a la otra, con la mano derecha levantada como en los juicios de las películas: «Desde ahora, mujeres hasta morir: por dentro y por fuera, para lo bueno y para lo malo, y hasta que a la Parca le dé por quitarnos de en medio» —lo de la Parca lo había leído yo no sé dónde, y después La Plumona nos echó una conferencia pesadísima sobre el tema, pero en un momento tan importante y tan solemne era un detallito culto que quedaba la mar de formal—. Sólo que, por lo visto, ni siquiera iba a hacer falta la Parca; bastaría con que al Tejero las cosas le fueran bien, y a ver quién era la guapa que se echaba a la calle presumiendo de femenina. Así que no era para menos, y si a La Begum le salían como granos aquellas angustias de cara que la torturaban tanto cuando tenía que presentarse siempre, y en donde fuera, como Pedro Romero Torres, señal de que se le iba asentando la mollera, y eso desde luego iba a hacerla sufrir.

No quise hacer otro intento de consolarla para que no me pasara como antes, que la tía me dejó más cortada que el pie de Kunta Kinte. Pero yo veía cómo le iba entrando poquito a poco el arrugue y calculé para mis adentros que no tardaría en buscarme, temblando como una chiquilla. La veía yo mirándome ya de reojo de vez en cuando, mientras por la radio decían que el rey había llamado por teléfono a Milans del Bosch, y que después nos iba a hablar a todas, por los micrófonos de Radio Nacional y por la tele. Las periodistas a quienes la movida les había pillado dentro contaban medio histéricas lo que había pasado, que yo lo comprendo, hay que ver las criaturas el rato tan malísimo que tuvieron que tener. Quien mejor lo contaba, con su pizquita de salero, era uno de Radio Nacional, que estaba retransmitiendo el muermo de la votación que hacía falta para que Calvo-Sotelo fuera presidente con todas las bendiciones, y de pronto, con el estampido de los disparos, empezó a trompicar, con la vocecita achicada como si estuvieran estrangulándole, y acertó a ver a un guardia civil pegando tiros, y lo demás ya todo fueron adivinaciones. A los periodistas y a todos los que no eran diputados los echaron de allí casi en seguida, pero parece que alguien tuvo la inteligencia o el instinto de dejar un micrófono conectado y por eso desde fuera se oían cosas, voces, órdenes del Tejero y algunos murmullos medio raros, terribles. También dejaron salir a una catalana que estaba completamente preñada, y ella lo primerito que hizo fue llamar al rey para contarle todo el tiberio. Yo hubiera hecho igual. Las de Radio Nacional lo explicoteaban todo con mucha prosopopeya y sin sacar lo que se dice nada los pies del plato. En cambio, las de Radio Madrid habían montado una producción como las de la Metro, con el José María García haciendo de león, pero en falsete, que hay que ver el pitito que tiene ese hombre, y las de Radio Intercontinental se lo hacían directamente de dinámicas, por Dios, se daban unas prisas para contar las cosas que acababa una mareándose. Yo ya digo que no quiero ser injusta, que por mí las condecoraba a todas con la Laureada de San Fernando, que debe de ser el acabóse, porque creo que ahora mismo no la tienen ni tres, pero es que servidora, después de casi cinco horas de expectación, estaba agotada, y cuando una tiene el sistema nervioso desencuadernado, siempre acaban pagando justos por pecadores.

Menos mal que allí estaba La Begum para que yo me sintiera en la obligación de sobreponerme. Hasta en una pareja tan rarísima como la que nosotras hacemos, una de las dos tiene que hacer de macha. Conozco yo a dos, La Crafor y La Coquina, que se alternan —según las circunstancias, la hombra es una o la otra, que se tienen sus temperamentos enseñados divinamente—, pero eso es un caso raro. Lo normal es que siempre le toque apechugar a la misma con la voz cantante. Con el aguante de tripas. Con el sentido común. Con la buena crianza. Y, además, yo siempre me lo veo venir. Como esa noche. Pasó exactamente como yo me lo había barruntado. Ella, La Begum, se me volvió de pronto a mirarme con unos ojitos de cachorro acobardado, que a mí se me encogió el alma. Me senté en el bordillo del butacón, tiesa, como si me acabaran de almidonar, y abrí los brazos con una emoción maravillosa, igual que aquél de la Biblia cuando le volvió el hijo pródigo. Y La Begum, pobrecita mía, se me echó encima hecha un mar de lágrimas y a mí también me entraron unas ganas locas de llorar, pero me aguanté, más que nada para que ella viera que aún podía confiar en alguien.

Estuvimos un rato larguísimo abrazadas con un sentimiento tan de verdad que yo, en el fondo, me sentía a gusto, sólo que esto a ella no se lo he dicho nunca para que no me llame degenerada y viciosa. Porque además ella huele siempre tan bien, se busca siempre unos perfumes tan ricos, que era como si la noche se fuera a poner un poquito más confortable, con aquella fragancia tan divina encabritándose un poco con las lágrimas de La Begum y metiéndose en el aire como la lluvia en un arenal. Después ella se fue calmando hasta dejar de hacer pucheros, aunque aún se estaría un buen rato con el corazón encogido, y me miró con esos ojillos emberrenchinados por la llantera, pero zalameros, esos ojillos que ella sabe poner cuando se sabe en falta y quiere hacérsela perdonar. A mí me tiene comida la moral de todas, todas. Le pasé la mano por el pelo, dos o tres veces, y le dije:

—No te preocupes, corazón. Más se perdió en Cuba.

—Pero nos tendremos que volver a vestir de carabineros —dijo ella—. Y yo me puedo morir.

—No seas tonta, cariño. Acuérdate de lo monísima que estaba de caqui la Goldi Haun en *La recluta Benjamín*.

A mí se me ocurrió de pronto, que a una le vienen de repente esos fogonazos —nos reímos muchísimo viendo esa película, y además salían unos tíos como para apuntarse de voluntarias inmediatamente—, y fue un acierto el mentarle a la Goldi, porque a partir de ahí ella se fue animando un poco.

Se fue corriendo al cuarto de baño, a hacerse una limpieza de cutis. Bueno, lo primero que hizo fue empelotarse. En un minuto se quedó en cueros vivos, menos la braguita. No se quería quitar la braguita, porque después tendría que quitarse los esparadrapos, y eso sí que no lo podría soportar. No podía hacerlo así, a lo crudo. Estaba empeñada en convencerme de que no podía, pero yo no estaba pidiéndole nada. Al contrario:

—Ay, no te agobies, mujer. Habrá que hacerlo poquito a poco.

—Me tienes que prometer una cosa: cuando esté durmiendo, me los quitas tú.

Se lo prometí, y me hizo jurárselo por mis muertos, con la mano derecha abierta y levantada. Luego, más tranquila, La Begum se enfundó la chilaba de punto de seda, color salmón, que ella usa como salto de cama, se encaramó en la banqueta de barra americana que usamos para tirarnos siglos dándonos coba delante del espejo y, después de pedirme que le pusiera en el picú a la Jurado cantando «Señora», se puso a quitarse con unas ganas horrorosas, con el coraje de una heroína de la Antigüedad, los cuatro dedos de potingues que siempre lleva encima.

Lagrimones como ciruelas estuvieron cayéndole durante todo el tiempo que empleó en dejarse la cara más limpia que la de un trapense en ejercicios espirituales. Yo me asomaba a verla de vez en cuando, pero luego me volvía al cuarto de estar, y durante todo aquel tiempo estuve comiéndome el coco una cosa mala, porque me volvió aquella angustia que me venía más que nada por mí misma, no porque a partir de entonces pudiera tener al mundo más en contra que nunca, sino porque iba a ser durísimo para mi cuerpo y para mis pensamientos, y sobre todo para los sentimientos que una tiene, el volver a lo de antes. Abrir la maleta donde La Begum y yo guardamos, hacía ya casi cinco años, el último traje que nos pusimos antes del juramento de ser mujeres para siempre, que fue más que nada por guardar una reliquia, por conservar un recuerdo de los malos tiempos, a lo mejor por tener siempre a mano como un certificado de que hubo una época en la que fuimos otra cosa. Ni locas podíamos imaginarnos que lo fuéramos a necesitar otra vez. Teníamos una especie de borrachera, pero una jumera graciosa, y no sólo en la cabeza y en el paladar, sino en el cuerpo entero, como si nos hubiéramos estado bañando en vino durante meses y el vino se nos hubiera ido colando por los poros y se hubiera ido quedando por todas partes. Los trajes, con una camisa y una corbata de cada una, los metimos en una maleta en la que no guardamos nada más, y desde entonces estaban en la parte de arriba del armario empotrado, a lo mejor apolillados, a lo mejor llenos de hongos y de telarañas, a lo mejor completamente deformes o convertidos en polvo. Dicen que, al cabo de los años, los cadáveres no hieden; que cuando abren un ataúd después de mucho tiempo, no sale olor ninguno; que muchas veces, al levantar la tapa, el cadáver parece entero todavía, pero después el sepulturero menea un poquito la caja y el cuerpo se deshace entero, no queda sino polvo... La insensata de La Begum parecía de pronto la mar de ilusionada con su modelito de CLP —o sea, de Caballero Legionario Paracaidista, que son como los marqueses de la clase de tropa del Ejército de Tierra, no sé si me explico—, que seguro que ya estaba pensando, en medio de todo el drama, en encargarse una boina de croché, y seguro que ni le había cruzado por la imaginación el tener que pasar por aquella ceremonia tan fúnebre y tan antipática: abrir la maleta y que salieran en bandada, como pajarracos aturdidos y ansiosos, todos los malos recuerdos, los tragos más duros, tantísimos sofocones como tuvimos que pasar y tanto daño como nos hicieron. Pero no sólo eso: también los recuerdos bonitos y un montón de caras y de sitios que a una ya a lo mejor ni se le dibujaban en el pensamiento, y eso también lastima, y puede que incluso más que lo otro, aunque a primera vista no se pueda comprender. Un martirio iba a ser aquello.

Hace poquísimo se lo conté todo a La Plumona, que nos encontramos tomando una copa en Pricks —un bar nuevo que, como todo lo nuevo, tiene un ambiente muy gracioso, que ya veremos lo que le dura—, y ella me escuchó atentísima, sin decir nada, sin interrumpir, dejándome largar a gusto, que se lo expliqué todo como siete veces, porque a veces me cuesta un poquito expresarme, quiero decir con exactitud, y a mí me interesaba conocer su opinión, porque pamplinera y redicha lo será como ella sola, pero a mí siempre me ha parecido una mujerona inteligente y creo que es de necias negarlo —como hace La Begum, por puro despecho— y no apreciarlo en lo que vale. Así que con ella me vacié, teniendo que hacer unos esfuerzos espantosos para que no se me fuera el santo al cielo, por culpa de unos camarerazos completamente irresistibles que tienen allí, y La Plumona —a quien, por cierto, le va divinamente, y está ganando un dineral— sentenció: «Lo tuyo fue una catarsis». Yo casi me caigo muerta. Al principio me sonó a enfermedad de mis partes. Después le pregunté si eso no sería como la menopausia, pero en un plan de mucho loquerío. Se me puso un nudo tan gordísimo en la boca del estómago, que pensé que me daba una congestión. La Plumona, con lo bruja que es, se estuvo haciendo la interesante durante un rato, que yo sé que se divertía a mi costa, que se reía de la ignorancia de una, y no hacía más que repetir, con un aire y un tonillo medio siniestros: «Una catarsis. Una catarsis». Al cabo de un rato, cuando le dio la gana, me lo explicó por encima, y yo entendí que aquello era como un terremoto interior, un calambrazo que te pone todo lo tuyo, hasta lo más secreto, en carne viva y te coloca frente por frente y a pelo con lo que tú eres de verdad. Eso fue lo que yo entendí. Cuando La Plumona me lo explicó, me quedé dándole vueltas, ensimismada —enyomismada, como dice siempre La Begum—, impresionadísima por lo que a mí me había pasado casi sin yo saberlo. Estaba como grogui, con un flas total. Como si tuviera un pedal espantoso. De pronto, alguien me preguntó: «¿Tú no eres sanluqueña?». Me volví. Era un muchacho guapísimo, con el pelito corto. En seguida pensé: seguro que está en Madrid, sirviendo. Qué maravilla. No se me podía escapar. Y máxime, siendo paisano. De eso me conocía. Yo le dediqué inmediatamente una sonrisa radiante. Le sonaba mi cara. Me preguntó: «¿Cómo te llamas?». Y yo, aturdida entre unas cosas y otras, que ya no está una para soportar tantas impresiones juntas, le contesté: «La Catarsis». A él le hizo una gracia horrorosa, y a La Begum, cuando se lo conté —después de presentarle, una vez duchado, a Ramón, que así se llamaba el chico y era del Palmar, el barrio más barrio de mi pueblo—, aquello de La Catarsis le entusiasmó, porque, mira por dónde, es un apodo que hasta parece egipcio.

Cuando por la radio y por la televisión dijeron que iba a hablar el rey, yo, alteradísima, pegué un chillido caballé y llamé a La Begum —«¡Niña, el rey!»—, que aquello no podía perdérselo nadie, por Dios, y la verdad es que se vino corriendo a la salita, y eso que la criatura estaba todavía a medio desmontar, quiero decir que aún andaba liada con la cuarta capa de maquillaje —ella usa por lo menos siete, como las siete plagas del Antiguo Testamento, unas cosas de muchísimo destrozo—, y así parecía la pobre como desteñida, con un color la mar de apagadito, al estilo de una falla valenciana a medio decorar, o sea como la Juana Reina o la Marifé con rulos y en camiserito de percal. Era algo como para no creerlo. Ella siempre tan mirada, tan doña melindres, tan de no dejarse ver hasta que no le faltara ni medio detalle, sobre todo desde que entró de lleno en su papel de mujer de lujo, de señorona altiva y misteriosa —que un poco jaca lo ha sido siempre—, y de pronto, con todo aquel desborde del Tejero, cualquiera diría que ya no le preocupaba, que se lo montaba ahora de belleza natural, de guerrillera palestina, aunque de mucho postín, faltaría más —como aquella, tan mona, que se pasaba todo el tiempo secuestrando aviones y salió una cosa mala en los periódicos—, con esa cucharadita de desgarro que hace que cualquier trapajo y unos colgajitos de nada, con la carita lavada, queden la mar de graciosos. Para mí, como si no la conociera. Sobre todo, por aquel interés tan grandísimo que le había entrado de golpe por escuchar al rey, que se puso pegadita al televisor, y hasta me entró preocupación por si le fuera a dar un calambre, pero no le dije nada, que aquella ansiedad no se podía cortar, que era una cosa bonita verla así, hirviendo de angustia y de veneración.

Razón tenía. Razón tiene más que de sobra para desbaratarse de agradecimiento. Nunca podremos olvidar aquella noche, después de que el rey hiciera su juramento en aquella ceremonia tan emocionante, una ceremonia a lo mejor un poquito sosa, quiero decir en todo lo del boato, que hay que ver cómo somos los españoles cuando nos da por lo discreto; de los ingleses tendríamos que aprender un poquito, que hay que ver el verbenón tan exageradísimo que montan en cuanto cualquiera de la familia real que ellos tienen mueve una ceja, qué jolgorios, qué lujos, qué derroche, y eso que de gusto andan nada más que regular, pero ellos, los británicos, en eso de festejar a su reina y a su reina madre, y a la locona de la Margarita, y a la princesa Ana con sus caballos y su capitán —que está para comérselo vivo, el angelito, con ese uniforme que no debería quitárselo ni para ducharse—, y al de Gales, que es un poquito acaballado, como la familia entera, pero que tiene su aquél, y al Andrés, el guapo de la dinastía —por un hombre así me hacía yo luterana— y al otro, y a la de Kent y al sumsuncorda, cómo son las inglesas para jalearlos, para eso no se controlan lo que se dice nada. Lo de ellos es ya superstición. Y no digo yo que aquí tengamos que ser lo mismo, pero un poquito más vistoso sí que se lo podían hacer, que a veces a una hasta le da fatiga, los pobrecitos míos —y sobre todo ellas, la reina y las infantas— parece que van pidiendo disculpas por ir un poquito arregladas. En cambio, la de Inglaterra en cuanto tiene que dar dos pasos se echa encima todo el joyerío y las británicas encantadísimas, ni critican ni nada. Sólo hay que fijarse en la que armaron para la boda de la leidi Di. Un delirio. Menos mal que las de la tele tuvieron un detalle y nos dieron el jubileo integral, sólo les faltó darnos cómo meaba la muchachita al levantarse. Ella es mona, un poco bobita sí que parece, y una pinta tiene como de polvorón, pero debe de ser agradable, y además tiene un pelo ideal y unos ojos preciosos, y se le pone cara de colegiala zalamerona cuando mira así, de refilón, pero lo que no se le puede perdonar es aquella colección de disfraces tan horrorosos que se colocó la tía para el viaje de bodas. La Begum y servidora nos pasamos ese día todo el tiempo frente al televisor, nos compramos una docena de sangüiches y sólo nos movimos para hacer pipí cuando veíamos que la cosa se ponía menos interesante; eso sí, nos llevamos un disgusto espantoso con aquello de que nuestros reyes no estuvieran en primera fila, como era de ley, porque además son medio primos y en el fondo creo que se llevan la mar de bien; La Begum, sobre todo, cogió un berrenchín de concurso, decía que todo era culpa de los comunistas, que no tienen gusto ninguno, que todo se les queda en organizar unas meriendas la mar de ordinarias, con tortillas de patatas y churros por todas partes y con el momión de la Pasionaria, muy deportiva ella a pesar de lo descuajaringada que está la pobre, dándole a la matraca subversiva, yo a la tía, cuando se pone en ese plan, ya ni le discuto; a mí las verbenas que organiza el Partido en la Casa de Campo me enloquecen, una comprende que aquello no es Jaidpar o como se diga, pero siempre me lo paso de buten, siempre acabo bailando con unos tíos buenísimos y echándole mano a Lenin en el aglomeramiento que siempre se forma; y Pasionaria es una santa —bueno, una santa comunista, se entiende— y una reliquia que hay que venerar, que habría hecho falta muchas mujeres como ella para quitarnos de encima este muermo de la ucedé, que era como Debora Ker, muy señora, pero de marcha, ni mijita. Por lo visto el rey hizo divinamente, que eso de que la pareja se viniera de garbeo por la Roca, en plan ostentoso, está fatal, y a mí eso de que nuestros reyes no fueran a la boda del siglo me dejó un regustillo la mar de antipático, las cosas como son, pero la culpa la tuvieron ellas, las británicas —y sobre todo el callo ése de la Tacher, tan sargentona, que no me ha hecho nada, pero me cae como una gallorda en ayunas, qué mujer más engoñipante—, por cabezotas.

En cuanto apareció el rey, con su uniforme de capitán general, que le sienta de morir, y esa seriedad tan voluntariosa, pero al mismo tiempo tan juvenil, tan de muchacho sensato y responsable, una seriedad que a mí me da mucha ternura, y es que parece que le cuesta trabajo ponerse serio, que eso no es lo suyo, y en cuanto me miró a los ojos como si no hubiera otra persona en este mundo —que luego La Begum me confesó que ella había sentido lo mismo, como si de pronto se hubiera quedado a solas con él—, y en aquellos segundos que tardó en empezar a hablar, a mí es que me volvió la tranquilidad al cuerpo, y eso que aún no sabía nadie lo que iba a decir. Pero a él, nada más verle, se le notaba una decisión y unas ganas de hacerlo bien que ya eso sólo te daba confianza.

Servidora se emocionó muchísimo cuando, a los dos días como mucho de morir Franco, Juan Carlos hizo su juramento y volvimos a tener rey en España. En Madrid hubo una concentración de políticos de mucha categoría, y La Begum y servidora, todavía de incógnito, nos fuimos a la Gran Vía a ver pasar los cochazos y a echarle vivas a todo el mundo. Todos pasaron con mucha bulla, pero algunos tenían el detalle de asomarse a la ventanilla y saludar. Yo creo que el más distinguido era Giscar, con mucha diferencia, y además tiene una boca preciosa, medio traviesa, y por eso cuando sonríe una se olvida de que por lo general va siempre algo estiradote, como replanchado. Otro con mucha presencia es el Felipe de Edimburgo, que por cierto La Soraya cuenta unas cosas de él que no sé si creérmelas, aunque me encantaría. Constantino de Grecia siempre me ha dado un poquito de lástima, la verdad, parece un niño grandote y no sé por qué me parece a mí que debe de estar nada más que regular de mundología, y me da en el corazón que su hermana, nuestra reina, le da vuelta y media y debe quererlo muchísimo. Pero con quien mi amiga La Begum se volvió loca perdida fue con el Hussein, el de Jordania. El hombre es chaparrete, pero la mar de interesante, eso hay que reconocerlo. Y le echa unas agallas de sombrerazo a esa forma que tiene de llevar a los suyos, siempre dando la cara, que hay que arrejuntar valor con el guirigay tan espantoso que se tienen montado por esos países; cuando la mujer se le murió en un accidente, qué dolor, a La Begum le faltó un milímetro para ponerse de luto, y eso que mi amiga estaba medio celosa de la Alia, que de la anterior, la reina Muna, nunca se preocupó demasiado, y de la actual, esa americana tan grandota que se ha cambiado el nombre por uno que significa en moro «luz de la mañana» o qué se yo, tampoco echa una cuenta exagerada, por lo visto La Begum encuentra en ellas menos competición, como si no tuvieran nada que hacer si a mi amiga le diera de pronto la ventolera de presentarse en Amán, que me parece que ésa es la capital de Jordania, y se pusiera allí a meter cizaña, con lo arpía que ella es cuando se le encarta; pero con Alia era distinto, tenía como más fuerza, parecía una de esas mujeres que son capaces de metérsele a un hombre bien adentro, y el Hussein tenía que estar enamorado hasta el hígado, que eso se nota hasta en las fotografías, y a La Begum a ratos le daba por ponerse mustia, porque había leído en el *Hola* unas declaraciones de Margaret Trudó, la del canadiense —que ésa sí que es una cabraloca de mucho cuidado—, diciendo que ella se asfixiaba con tanta vida oficial y tanta cena de compromiso —que en esta vida siempre hay quien se queja por vicio— y que lo mismo le pasaba a la reina Alia, que por lo visto eran amiguísimas y se pasaban horas dándole a la sin hueso por teléfono y como si vivieran en el mismo barrio, menudo dineral en conferencias. O sea que La Begum estaba convencida de que, en el fondo, el Hussein no era feliz, y con sólo pensarlo ya le entraba a ella la depresión. Aquel hombre no se merecía ni una gota de sufrimiento. Lo vimos sólo un segundo, medio hundido en aquel cochazo que parecía la tumba del faraón, tan tieso y tan apretadito él, sonriéndose con un dengue malicioso, de media retranca, por debajo del bigotillo.

Yo voy a decir la verdad: a mí los discursos de nuestro rey siempre me ponen un pellizco en el estómago, estoy todo el tiempo con la preocupación de que vaya a equivocarse, de que se embarulle, de que se vea el pobre en un apuro. Todo el mundo dice que es la mar de campechano, que habla con cualquiera como si fuera uno más, que no va por la vida con el manto y la corona puestos —no como la Grace Kelly, que hay que ver cómo estaba siempre ella de metida en su papel, siempre con el modelito y el empaque de alteza serenísima; claro que también tenía su cruz y así le salió de bullanguera la hija mayor, que la Carolina es que no paraba de meterse guerra en el cuerpo, y por supuesto que hacía divinamente—, que es un rey que no tiene lo que se dice complejo de majestad, sino todo lo contrario, y la verdad es que eso se le nota un poquito cuando se pone solemne, y no puede ser de otra forma, yo lo comprendo. Pero aquella noche del 23 estaba el hombre más reconcentrado que de costumbre, que lo que tenía encima no era sólo la preocupación normal por hacerlo bien, sino una responsabilidad grandísima, toda España pendiente de él, de su coraje y de su buena estrella, y de la importancia de lo que iba a decir, seguro que lo habían mirado y remirado —para que no hubiese una coma de más ni de menos— todos los pitagorines que tiene que tener con el encargo de prepararle los discursos, eso es corriente, los tienen todos los reyes y los presidentes —a La Begum se lo tuve que explicar con una precisión tremenda, no fuera ella a pensarse que el rey nuestro es más torpe que los otros—, y hasta una gente especial tienen los americanos para escribirle los chistes al Regan, esas cuchufletas que él se marca como si tal cosa, como si se le acabaran de ocurrir, y de veras que lo parece, cuando está todo estudiadísimo, pero es que el Regan fue artista y tiene costumbre, tiene tablas, y al rey nuestro —o al Balduino, por poner un caso que nos pille sólo de refilón— no se le puede pedir lo mismo.

Pero el rey nuestro tiene una virtud grandísima, y es que con su manera de hablar te convence en seguida de que por lo menos está haciendo todo lo posible para arreglar lo que sea. Yo lo escucho, y nunca se me puede ocurrir, ni por lo remoto, que se esté marcando una trola para hacer tiempo o para ver si escampa por las buenas. Cuando él dice —y lo ha dicho montones de veces— que quiere ser el rey de todas, una por supuesto que se lo cree, y servidora está segura de que va a él con un apuro y él no se lía a hacer aspavientos y a hablar de los vinos y de las fabadas y de las mujeres del país, lo cual no quiere decir que a lo mejor no haga una broma y que se ponga en plan estrecho, o que no deje caer un poquito la mano, más que nada para comprobar, que también tiene derecho la criatura, pero seguro que al final se conoce de maravilla el problema y te echa una mano hasta donde puede. Yo estoy convencida —convencidísima— de que cuando promete ser rey de todos los españoles está pensando también en nosotras. Por mi parte, puede contar conmigo para lo que quiera. El no lo sabe, claro, pero lo sé yo, y cuando yo me juro a mí misma una cosa, eso ya es lo más sagrado. Conmigo no lo tiene ni que dudar, y eso que cuando me entra la picá me pongo de un marxista y de un revolucionario que rompe con todo. Ahora bien, saber que el rey está ahí, nada más que eso, me da una confianza horrorosa. Me la dio desde el primer momento. Desde que hizo aquel juramento en las Cortes, después de morirse Franco. Fue una corazonada. Así, por las buenas, supe que me podía fiar.

A La Begum, con lo marmota que es, le pasó

una cosa parecida. Lo de ella fue un ramalazo del instinto. Lo suyo no fue razonamiento, que ella siempre dice que no está para desgastarse con esas cosas, sino intuición, un saber de pronto que ya podía ella realizarse. Y aquella misma noche, con todo Madrid plagado de grises completamente escamados, con ese aspecto raro y medio arisco que tienen las calles cuando alguien muy importante ha muerto, y con el nerviosismo y la neura que le entra a una cuando hace algo atrevido por primera vez, La Begum y La Madelón estrenaron acera oficialmente. Fue un rito precioso el de quitarse la ropa de hombrecito, sintiendo ese hormigueo que entra cuando se sabe que una cosa ya es definitiva, que ya todo va a ser seguir hacia adelante, y que dentro de nada llegará el momento en que una empiece a sentirse abiertamente a gusto en lo que siempre quiso ser, sin tanto laberinto, sin tanto disimulo, sin tanto escondite, sin tanta falsificación. A mí me entró, a eso de las diez y media, esa prisilla corta que es la que más me cunde, y me puse como una pintura de bien, sin faltarme detalle, en un periquete: moño emperatriz, y sobre la frente un flequillo, y en el flequillo una mecha tongolele, rubio platino, casi blanca; la pechera todavía principiante, pero empinadita y con una codicia que me la notaba yo bajo la blusa evasé y malva, con un dejito de transparencia y olor a lavanda inglesa de calidad superior; cinturita tuigui, que entonces tenía yo un tipo monísimo, irreprochable; falda de algodón hindú, estampado y de vuelo fácil y natural; botas altas, con una cenefa labrada a mano en el alto de la caña, y una capa de color caoba, estupenda de corte y de paño caro, que un primo de La Begum metió de estraperlo por Algeciras. Ella, La Begum, se puso un poquito más vistosa, con un kaftán imitación lamé y un turbante enormemente historiado, lleno de medallitas y pedrería de colorines por todas partes, y unas sandalias de raso azul. Salimos cuando la noche ya estaba bien cuajada, y a mí, nada más poner el pie en la calle, se me derramó por todo el cuerpo, hacia el interior más hondo que yo pueda tener, una emoción que nunca sabré explicar del todo, porque era como si el mundo fuese diferente, como si en realidad no hubiera cambiado yo sino todo lo demás, y como si hubiera llegado para quedarme a vivir a un sitio nuevo. No quisiera tener que volver nunca al sitio de donde me fui.

Llevábamos muchos años esperando aquello. A punto estuvimos de intentarlo el día en que Franco murió. Sólo que el acontecimiento nos pilló rendidas, agotadas, muertas; como a todas, que fue un mes largo de tenernos a todo el mujerío en un grito, que hay que ver el catálogo de perrerías que le estuvieron haciendo al pobre señor, y todo para que durase un poquito más —seguro que estuvieron haciendo tiempo para sacar todo lo que pudieran—, y para mí que él ya ni sentía ni padecía, pero la que me daba una pena horrorosa era la hija, que se le notaba a un kilómetro el sufrimiento y yo ahora no quiero meter el cucharón en el guiso de la política de Franco —que servidora, por supuesto, en contra, y además radical—, pero el sufrimiento de su gente, viéndole en aquella condición, era una cosa que llegaba al alma si se tenía un pelín de sensibilidad. A fin de cuentas, ellas tampoco tenían una culpa loca de tantísimo sufrimiento como habían tenido que pasar montones de familias por culpa de la dictadura de Franco, me parece a mí —aunque se pone una a pensarlo y se le abren las carnes, le hierve el pecho, se le sube el coraje a la garganta y a los ojos y se le nublan las entendederas, porque es normal, y a nadie se le puede pedir que haga muchos distingos, cuando hay por medio tanta desgracia—, que otra cosa es que se hayan aprovechado a modo, venga collares y fincas por todos sitios, y el dineral que tienen que tener en Suiza y media Filipinas que me han dicho a mí que es de ellos, que eso no tiene justificación de ninguna manera.

Cuarenta años de andar rebañando a todas horas, sin perder ocasión, cunden una cosa mala. Ni a mí ni a los míos, directamente, nos han quitado nunca ni un imperdible, quiero decir a las claras y por derecho, pero si eran cosas del país eran cosas de todos, uno por uno. A otros les cogió más de lleno. Yo me sé algunas cosas, y otros se sabrán otras diferentes. Que hay que ver cómo era la consorte con aquella fijación crónica que tenía con las antigüedades; huy, era el terror de los anticuarios, yo lo sé por La Cacharros, una maricona la mar de puesta, del Puerto, de familia bien, que había montado —más que nada por capricho y amor al arte, que necesidad no tenía ninguna— una tienda la mar de aristocrática, llena de cachivaches del año catapún y por lo visto de muchísimo valor, y la tía, en cuanto se enteraba de que doña Carmen venía al Puerto, a casa de la viuda de Terry —que era una cosa que hacía cada dos por tres—, cerraba el negocio a cal y canto y desaparecía, como si se la hubiera tragado la tierra, dejaba dicho con el mayordomo que se había ido de excursión a Mongolia; y es que la consorte llegaba, elegantísima, enseñando toda la caja de dientes, y se hacía una gira por la tienda y, sin pestañear, se cepillaba todo lo que le hacía tilín, que por lo visto menudo ojo clínico tenía, siempre se iba derechita a por lo bueno de verdad, a por lo mejor; «Me haría muchísima ilusión...», decía, o algo por el estilo, la primera vez, y si el dueño se hacía el longui, como es natural, y no se lo regalaba, ella volvía al día siguiente y lo encargaba por lo descarado, «Que me lo manden», y nunca pagaba ni un duro. Anticuaricidio se tiene que llamar eso. Y como una es ruidosilla, pero no tonta, pasa ese ejemplo a cosas mucho más importantes, de millones y millones, y a ver quién es el guapo que calcula el dineral que se amontona.

Pues cuando Franco murió —que yo me lo imaginé en seguida, nada más oír por la mañana temprano, medio en sueños, unos cañonazos que venían de lejísimos, de por el Pardo, supongo, y al momento me despabilé y avisé corriendo a La Begum, que a mí me encanta que todo el mundo esté informado, es una manía que tengo desde siempre y más de una vez he pensado que tenía que haber sido reportera, me va muchísimo, un estilo a la Oriana Falachi ésa, que menuda era—, mi amiga, que casi nunca se las piensa, la muy insensata, quería irse inmediatamente a la cola, o sea con el gentío que se formó para ir entrando con mucha circunspección en el Palacio Real, donde lo tenían expuesto —que por televisión sacaron a la Lola y a la Sevilla y a familias enteras que no se lo querían perder, y de vez en cuando se armaban unos números divinos, llantos y desmayos y la gente venga a ponerse de rodillas, con los brazos en cruz, y a decirle al muerto ¿qué será ahora de España?—, y ella, La Begum, tampoco quería privarse de ese gusto, que siempre ha sido de mucho cementerio y ánimas del purgatorio —dice que le chiflan las emociones fuertes; por lo visto, ahora se dice así—, que no se pierde un día de los Fieles Difuntos sin ir de peregrinación a la Almudena y pasarse la mañana viendo lápidas, leyendo nombres, calculando los años que tenía cuando se murió éste o aquél, que es una forma muy tranquila y la mar de barata de disfrutar. Claro que ella tampoco quería ir al duelo de cualquier forma: quería ir de negro y con mantilla de blonda, como las del Jueves Santo, lo cual, aunque no quedara muy moro, a ella se le antojaba lo más adecuado. Con las ganas se tuvo que quedar, naturalmente —porque aunque Franco se acababa de morir, servidora no se fiaba ni un pelo—, y ése es un trauma que La Begum tiene desde entonces.

Cuando el rey se hizo cargo de todo, y echó aquel discurso tan sentido, ya fue diferente. La hija de Franco y las nietas estuvieron aplaudiendo en un palco, que menudo trago tuvo que ser para ellas, la verdad, que daba su pena verlas así, como si acabaran de mudarse nada más que con lo puesto, y luego haciendo a los reyes esa media genuflexión que se marcan las finas de toda la vida, que después las hay que con dar la mano se quedan tan a gusto. A mí lo de la media genuflexión me parece una cosa graciosa, que no es que una se humille ni nada, ni como española ni como mujer. Alguna vez la hemos ensayado La Begum y yo, y nos sale divinamente.

Aquella noche del 23, desde luego, hubiera besado yo por donde el rey pisara. Que la gente diga lo que quiera. El echó su discurso de una forma que yo creo que no se hubiera podido mejorar. Fue un discurso corto, la mar de ceñido a lo que había que decir: ha pasado esto y lo otro, y yo, el rey, he dado las órdenes que hacían falta para que todo esté bajo control. Qué tranquilidad. Mientras él estuvo hablando, a mí me parece que todo andaba como en un respingo, yo me fijé un segundo y me pareció que el apartamento entero estaba conteniendo la respiración. Cuando acabó, todo se esponjó un poquito; se notaba el alivio hasta en el brillo de la luz y en el aire del cuarto. Y La Begum se volvió a mirarme, con el susto remoloneando todavía en su cara, y, después de tartajear un poco, se quejó:

—Qué corto.

Yo le dije:

—Corazón, ahora estamos salvadas.

Parecía en trance. En la forma de mirar, era clavadita a la protagonista de *Rebeca* cuando, al final de la película, se queda mirando cómo se quema la casa y ve, en un ventanal, la sombra de la bruja del ama de llaves, mala pécora, bollerona, haciendo aspavientos y a punto de morir achicharrada...

—¡Salvadas!

Yo en seguida me di cuenta de que había empezado a clarear, quiero decir no en la realidad de las cosas —que en aquel momento estábamos, justo, en el cogollo de la noche—, sino en la situación, en la noche negra de España, o sea que lo digo en plan metáfora, porque queda precioso. A La Begum, particularmente, le entró un alivio que se le notaba en las pupilas, dilatadas y negras como un botón de blasier, y eso que yo le expliqué con todo detalle que los diputados y diputadas seguían igual, secuestrados, en manos de Tejero y los suyos. Ella lo comprendió la mar de bien, pero ya no era la misma angustia de antes. Daba lástima, claro que sí, pero una podía organizarse a gusto, y hasta echar una cabezadita, así nos despejábamos un poco y luego siempre se nos ocurrirían más cosas. Para empezar, sugirió que preparásemos bocadillos —de lo que hubiera, que tampoco estaban ellos como para marcarse muchos melindres: de queso fundido y jamón york, que eso le gusta a todo el mundo—, un termo con caldo —aunque fuera Avecrem—, otro termo con café —que nosotras gastamos uno riquísimo del Brasil, que nos vende una amiga, Nina Copacabana, que por lo visto es de un pueblo inmundo, a un paso de la selva, pero ella presume de ser la reina de Río, y la verdad es que sandunguera y rítmica sí que es un rato largo: una vez, en Castellana/María de Molina, se fue con un julandrón que le puso, en el radiocasete, una samba como aperitivo, y del frenesí que a ella le entró se pegaron un hostión espantoso con la mismísima Cibeles; tres meses y medio estuvo la Copacabana momificada en La Paz—, y algunas pastas, que nos quedaban pocas en la alacena, pero no les íbamos a llevar a los pobres sobaos pasiegos, para que se engoñiparan todavía más. Podíamos llamar a todas las amigas, inventarnos alguna consigna mona —«Desayuno para los cautivos», por ejemplo; o «Cada mariquita, un diputado, por lo menos», o «Campaña pro alimentación de los golpeados», que esta última me parecía a mí que resultaba como más responsable—, y que cada una eligiera su diputado preferido, que ya puestas a hacer una obra patriótica, que por lo menos hubiera una compensación. Platónica, naturalmente, que a mí me parece que a un diputado lo saca una de su ambientillo, le quita el maletín y la tecla ésa de votar que sí o que no, y se te queda en nada. En menos que una persona corriente.

Eso es lo que les pasa a los soldaditos en general, y a los paracas en particular: les quitas el uniforme, los lavas un poco, pones en la alcoba una luz indirecta, y cuando te metes a la labor lo que te encuentras es una criatura más sosa que un muergo hervido con Lanjarón. Convencida estoy de que a la tropa se la tiene que servir una tal cual, sin tratamiento ninguno, con todos sus arreos —que a poco cuerpo que tengan, les quedan la mar de graciosos— y con todas sus vitaminas. Una vez tuve un capricho fuerte, pero fuerte de verdad, con un paraca cordobés, pequeñito, pero brioso como muy pocos me he encontrado yo en toda mi vida, rubiasco y guasón, que cuando ese niño se metía en la ducha era por una eternidad, y salía arrugadito como una cotufa, y sonrosado como un muñeco pepón, que es una cosa que siempre me ha dado repelucos, así que tuve que apañármelas para que no se duchara sino después, quiero decir a posteriori, que no hacía más que aparecer él por la puerta y, en el mismo hall, ya me metía yo en faena, rebañándole toda la sustancia. Qué rico. Hace ya más de un año que se licenció y, desde que nos despedimos —yo, afectadísima— en la puerta del autobús que se lo llevó, no he vuelto a saber de él.

—¿Por qué no echamos un sueñecito?

A La Begum el alivio le dio soñoliento, pero no quería irse a la cama sola, no quería que yo me quedase desvelada, que lo mismo se pensaba que era capaz de irme al Congreso en plan damanegra, dejándola abandonada. Yo seguía sin ganas de dormir, lo único que quería era seguir recordando cosas, acordarme de muchos hombres que cruzaron por mi vida, dejar que el tiempo se fuera quemando solo. La noche se estaba volviendo atolondrada, ya sin aquella crispación tan grandísima que había hasta que el rey habló, y era como si todo empezara a adormilarse, lo que no significa olvidar, que yo no quiero decir eso, sino dejarse ganar por el agotamiento y la anestesia que siempre acaba por pincharle a una la vida, sin remordisco de conciencia. A mí me parece que eso pasa siempre, que las cosas —las alegrías y los disgustos— empiezan con una fuerza tremenda, que una se para en todo y no se le va un detalle, y poco a poco las cosas empiezan a difuminarse, a no dejarse sentir, a mezclarse las unas con las otras y acaban como un cuadro abstracto, un revoltillo. A mí me pesaban los ojos, pero no podía ser el sueño, porque estamos acostumbradas a acostarnos a las tantas y más de un día y de dos y de cien volvemos a casa cuando los oficinistas salen para su trabajo. Era seguramente esa anestesia de la vida de la que yo hablo, esa fuerza que la arrastra a una a cualquier sitio, a no importa dónde, que lo único que cuenta es alejar-

138

se. Tampoco La Begum podía tener sueño y, sin embargo, se acurrucó en el sofá, se quedó muy quieta, haciéndose la dormida, pero cada dos por tres abría los ojos, para comprobar si yo me había movido.

Ella me necesita. No es por darme importancia, que además es una cosa que no viene a cuento, pero no quiero ni pensar en lo que sería de La Begum sin mí. En el menor de los casos, poniéndome en lo más favorable, acabaría de acomodadora en el teatro de Manolita Chén. Yo me encargo de tenerla a raya para que no desboque. Y es que esa mujer descontrola cantidad. Aquella noche aguantó como media hora haciéndose la Desdémona, pero en seguida le volvió el mal de San Vito y estaba dispuesta a recuperar a toda prisa las cuatro capas de maquillaje que se había quitado antes del discurso del rey. Al mismo tiempo, se empeñó en convencerme de que no era broma aquello de llevar provisiones al Congreso, que todos debían de estar desmayaditos, sin cenar ni nada, y encima sin saber cuánto podía durar todavía aquello, porque, por lo que decía la radio, el Tejero se lo había montado en plan durísimo, que a un general que había ido a pedirle que se rindiera le dijo que niente, que ni loco, que primero se pegaba un tiro. La Begum intentó animarme haciéndome recordar aquella temporada en que yo iba a diario al hospital Gómez Ulla, que es de los militares, justo a la boca del metro de Carabanchel, para llevarle un bocadillo de lomo a mi paraca cordobés, a la hora de la visita; me hice amiguísima de todos los chavales que estaban en cuidados mínimos, o sea, que no tenían nada, puro cuento, y también de los celadores, que por lo general no querían complicarse la vida, y yo al principio cumplía con el horario de visita a rajatabla, pero después, con la confianza, me colaba a cualquier hora, que oficialmente sólo se podía hacer la obra de misericordia de tres a cinco y a mí me venía fatal. El cordobés, entre los dengues suyos y el desbarajuste que de por sí hay en ese hospital, le sacó a esa media úlcera que le salía en las placas un rendimiento loco, y durante mes y medio, calculando por lo bajo, se estuvo servidora haciendo de Caperucita, con el paquetito de la merienda —un paquetito monísimo, que el bocadillo se lo compraba yo a mi niño en Mallorca, que es un almacén de lujo, donde por supuesto te clavan, pero es que el postín hay que pagarlo—, y eso le sirvió a La Begum para andar todo el rato jeringándome, aquella noche del 23, con el proyecto de llevar víveres a la Casa de las Fieras, como ella dice, y yo cojo un sofocón cada vez que se lo oigo, porque es una grandísima falta de respeto.

—Guapa, anímate —me decía, haciéndose la dinámica—; seguro que salimos en la prensa.

A La Begum, en un test de personalidad le salió, en corto, que es una fantasiosa y una inmadura, y ella encantadísima. Dice que eso de estar madura es una cosa espantosa —y hace un puñado de morisquetas de asco—, que en seguida empieza una a ponerse blandorra, repugnante, y es mil veces preferible seguir verde y enloquecida hasta morir. Ella es, por vocación, una mujer descentrada y decorativa. Los muchachos que le hicieron el test se desternillaban, aunque hacían durante todo el tiempo unos esfuerzos maravillosos para mantener la compostura, sobre todo uno, el que dirigía, que se lo tomó como un asunto de estado; claro que a lo mejor se estaba jugando las habichuelas, y con eso no hay que jugar.

Hay que ver las cosas que hace ahora la gente para ganarse la vida. Cada cual se la busca como puede, sin cortarse lo que se dice nada, que no están las circunstancias para ir de tímida doncella. Madrid está lleno de personal emperrado en encasquetarte las cosas más estrafalarias, y hay bandas enteras tocando rumbas o sevillanas o ritmos africanos o del Caribe, y una familia de gitanos con una cabra que hace equilibrios en lo alto de una banqueta, un trompetista que toca lo cuartelero —se ve que fue corneta en el servicio, y no ha aprendido en su vida otra cosa—, una tía renegrida que, a primera vista, parece mucho más joven de lo que es y baila con castañuelas y a su aire, todo igual, cualquiera que sea la música que le echen, y un gachó gordo que hace el pino encima de un montón de cristales de botella, y después se tumba con la barriga de lleno sobre los cristales y pide un voluntario para que se le suba en los lomos y brinque. Hay de todo. A La Begum le gusta mucho esa bullilla, más que nada porque le recuerda una barbaridad el zoco de Tánger, donde ella fue tan dichosa. Hay quien te toma la tensión a cambio de la voluntad, con todo su golpe de batas blancas, y quien monta en cualquier huequecillo su timbita de juego o su tenderete con casetes del año de la nana, o con fulars de gasa con lentejuelas, que se llevan una barbaridad, o con relojes y transistores de estraperlo, o con cintas de esas brillantosas para el pelo —para los que tienen pelo, dice siempre uno de los vendedores con mucha guasa—, o con altramuces, pipas, pasas y garbanzos tostados. Lo último es lo del test de personalidad.

Ibamos La Begum y yo, todas enérgicas, Montera abajo, y se nos echó encima un mocito divino, de esos que una colgaría encantada en el árbol de Navidad. Qué nene más impulsivo. «¿Queréis hacer un test de personalidad?» La Begum, repuesta del primer sobresalto, lo miró de arriba abajo, como ella sabe mirar —Ojos de Fuego la llamaba el cabrito del Drissi—, hasta que la vista se le engolosinó en la braqueta —que por allí tenía el muchacho unas abundancias de escándalo— y, completamente obnubilada, exclamó: «¡Huy, encantadísimas!». Claro que el muchachito no era más que un gancho, nos subió a un tercero interior, por las bravas, un escalón detrás de otro, y abrió la puerta de un despacho siniestro en el que se amontonaban media docena de abortitos llenos de gafas. Con muy poca consideración —porque la hermosura es cruel—, nuestro muchachito preguntó: «¿Os sirve esto?». Al gachó que dirigía el cotarro le dio al pronto como un amago de alucine, pero lo superó en seguida y dijo, feliz: «Claro que sí; interesantísimo». Leñe, ni que fuéramos bichos raros. A punto estuvimos de darle un plantón sensacional, uno de nuestros plantones exclusivos, de los caros, pero ya nos había entrado la curiosidad y siempre es bueno enterarse de cómo es una.

A mí me salió que soy decidida y sensata, la mar de abierta, un poquito cabecidura y marimandona, pero sociable como la que más y con una curiosidad de las de nunca acabarse: una mujer moderna, liberada, independiente. Según ellos, lo que es la moral la tengo un poco distraída. A mí eso me pareció un infundio, con lo recta que es una, pero el marmolillo que me hizo las preguntas —que algunas eran completamente extravagantes, y para mí que no venían a cuento, como aquélla de si yo tenía algún pariente fontanero (por lo visto es una cosa que puede servir para medirle a una los reflejos, pero yo creo que eso son pamplinas)— me dio una explicación la mar de redicha, o sea yo entendí que ellos en el comportamiento de cada una preferían no meterse, que a ellos les interesaba la predisposición: hay gente con vicios así de raros. Yo de predisposición seguro que ando divinamente. Quiero decir que hay un bombardeo y servidora se apunta. Una en eso es un chica diez.

Pero aquello de llevar emparedados caseros a los secuestrados estaba fuera de lugar, me parece a mí, que a fin de cuentas no estaban de romería y, cuando se sufre, se sufre. Si las cosas se ponían fatal, que avisaran a la Cruz Roja, que está feísimo meterse en faena del prójimo. Si luego me necesitaban, yo sí, yo dispuesta a echar una mano, servidora en primera fila, jugándose el tipo. Pero lo que me hacía contenerme y me sabía mal —porque la idea no era desaboría del todo, para qué voy a decir lo contrario— era el quedar demasiado folclórica, que lo mismo La Begum tenía razón y salíamos en los periódicos, incluso en los periódicos de por ahí, en los de Jolibú —la ilusión de su vida— e igual se pensaban todas por ahí fuera que sólo había sido una chirigota, que para mí que la mayoría de las extranjeras se piensan que aquí y en Italia estamos todo el tiempo de farra, y tampoco es eso; total, porque tenemos un natural bullanguero y vistoso, que ellas ni lo comprenden. Así que mejor no echarle leña al fuego en una cosa tan seria, y si a La Begum con las emociones acababa por entrarle la soñera, eso que todas saldríamos ganando.

La noche estaba ya desfalleciendo, como un acordeón en manos de un anémico. Las de la radio se iban quedando todas afónicas, y para mí que hasta desvariaban un poquito. De vez en cuando ponían bailables, pero sin letra, que el secreto por lo visto estaba en no resultar demasiado frívolos ni demasiado dramáticos. Luego, te contaban un poco de todo, que a veces se les notaba que era rellenar por rellenar, y yo no digo nada, que en ocasiones hay que ver el mérito que eso tiene. Algunos periódicos habían tirado un número extra, y en primera página iba una foto sensacional, una foto de Púlicer —que es lo máximo en premio que dan los americanos a los chicos de la prensa—, una foto que después ha dado la vuelta al mundo, gracias a que el chiquito que la sacó se guardó el carrete en el calzoncillo y, al salir, nadie se puso a registrarle tan a fondo. Por los micrófonos, gente más o menos importante hacía declaraciones, todas prudentísimas, y los locutores decían que ya podía ser sólo cosa de tiempo, que la frontera peligrosa se podía decir que había pasado y estaban negociando. Yo empecé otra vez a rezar para mi interior: Virgencita de la Caridad, ojalá todo esto acabe bien.

La Begum dormitaba como una gata ceremoniosa pero desconfiada. A lo mejor cerraban durante un par de noches Marabú. Mi Paco estaría durmiendo a pierna suelta, que el cuajo que esa criatura tiene no se lo altera nada ni nadie; la historia de mi Paco es un folletín como los de cuando yo era chica, un folletín de Sautier Casaseca, de aquéllos de jartarse de llorar con el Doroteo Martí. Menuda es la vida de mi Paco. Su madre no es su madre —su madre de verdad tiene una barra americana en Málaga—; su padre ni se sabe —me refiero al de verdad, por lo visto le tocó un extranjero que iba de paso—; el marido de su madre que no es su madre se ha ido a Málaga a vivir su vida, pero en sus tiempos, en un pronto que por lo visto le dio, adoptó a mi Paco legalmente, pero cuando mi Paco tenía ya lo menos nueve o diez años; o sea que mi Paco tiene, en algunos papeles, unos apellidos —los dos de su madre de verdad—, y en otros papeles los apellidos de prestado. Además, y por si la cosa era todavía sencillita, la de la barra americana tuvo antes de mi Paco otros dos hijos, cualquiera sabe de quién, pero las criaturitas se murieron de meses, y a los dos les pusieron también Paco —todo, supongo, por no molestarse—, y ahora mi Paco tiene un lío espantoso de documentación, con la fecha de nacimiento de su hermano el mayor, por no sé qué lío que se armaron en el juzgado, y tiene que jurar constantemente por sus muertos que él es dos años más joven de lo que pone en su carné. Eso sí, él lo tiene superadísimo. Y eso que lo de *Dallas*, en comparación con el lío de mi Paco, es el catecismo. Pero él, sin problemas. A gusto como un bendito. Como si tuviera el pedigrí perfecto. Ni inmutarse. Como si fuera hijo de la de Alba, con todos los abuelos, bisabuelos y tatarabuelos puestos en orden desde la Antigüedad y sin un fallo.

La noche se fue poniendo cómoda, relajada, como la faja de una mariquita en la miseria. La noche parecía cada vez más dispuesta a empezar de cero, como mi Paco, como si todos los líos del pasado no fueran más que una pesadilla. La Begum dormía ya como una gata de lujo, entre los almohadones del sofá, y ronroneaba de vez en cuando, relamiéndose en sueños, como si estuviera en los brazos del Sa de Persia en los buenos tiempos del gachó, muchísimo antes del loquerío del Jomeini. Y yo empecé también a quedarme traspuesta. Por la noche de Madrid cruzaba un pájaro grandísimo, negro como el alma de Lucrecia Borgia —que yo tengo un libro que habla sólo de ella y me conozco su historia de pe a pa; me parece lo máximo—, de vuelo tan lento que parecía no moverse, y eso que yo, en aquel soporcillo de la duermevela, tuve delante de los ojos todo lo que conozco de Madrid, y a lo mejor es que era Madrid lo que se movía. Era un pájaro terrible, con un tajo espantoso en la pechuga —que se lo vi de pronto, aunque a ratos dejaba de vérselo, como si le brotara y se le hundiera igual que el sol de poniente entre los árboles—, y las grandes plumas se empapaban con una sangre como el alquitrán, caliente, que iban resbalando por todos los edificios y todas las sombras, por todas las calles de Madrid, por los cristales de la ventana, empapando los muros, corriendo muy despacio sobre el parqué, comiéndose la alfombra, creciéndome por las piernas, por el estómago, por el pecho, por la garganta, hasta subirme a los sesos, anegármelos —sin que yo tuviera fuerzas para defenderme— y dejarme al fin dormida y como hueca, sin nervio, narcotizada.

Me desperté de golpe, dando un respingo, cuando ya era casi el mediodía. Nos habíamos dejado encendido el televisor y ahora estaban dando el final de la película. Había guardias saltando por una ventana y corriendo luego a meterse en un autobús. El Tejero estaba en la parte de atrás de las Cortes, charlando con otros. Después, cuando dejaron de saltar los guardias, el Tejero desapareció. Entonces, las mujeres de la tele empezaron a enseñarnos lo que pasaba en el otro lado, en la plaza, con todos los diputados sueltos por allí y con unas caras malísimas, y hasta entonces no me enteré de que todo se había acabado de verdad. Estaban libres. Estaban bien. Estaban salvadas.

—¡Salvadas! —grité, como loca.

A La Begum casi le da un ataque al corazón, del susto que le pegué. Y la Callas, en su tumba, seguro que volvió a morirse de envidia, por el chillido tan sentido y tan potente que me salió.

2

Qué gentío. Qué apreturas. Unos sobos espantosos nos metieron a todas de principio a fin —La Peritonitis juraba que la habían pellizcado, pero de esa mujer no puede una fiarse, ella echa cualquier embuste por tal de destacar—, cuánto restregón, por Dios, y eso que a una servidora los mogollones así le encantan, me animan una barbaridad, una hace patria y encima son un ejercicio estupendo, buenísimo para el riego del corazón, pero aquello era ya un poquito exagerado, no había manera de dar un paso sin que te pegaran un achuchón total, y sin que una pudiera elegir, que había gente de todos los colores, alguna con un pelaje rarísimo, y yo comprendo que de eso se trataba, de que fuéramos todas, sin distingos, España entera, pero la verdad es que, aparte de la emoción y el contento, tanta gente metiéndote empujones resultaba un poquito agobiante. Lo que pasa es que yo me pasé todo el tiempo intentando no echar cuenta de ese agobio, porque lo más importante era el espíritu y, sobre todo, la democracia y la libertad.

—Ay, mi cintura... —se quejaba la melindrosa de La Begum constantemente, a cuenta de los codazos.

Y yo siempre le decía, dándole coraje:

—¡Ay, niña, la libertad!

Qué pisotones. Qué gritos encimita mismo de tu oreja, que yo no sé cómo no me dejaron sorda. Qué manotazos, cada vez que se ponían a aplaudir. Y los del servicio de orden venga a empujar, que era imposible que cupiéramos donde ellos querían. Es que no había sitio. Allí estábamos todas. Qué alegría. Seguro que daba gloria verlo desde arribita, desde un helicóptero. Allí abajo era un sofoco, pero qué preciosidad. Qué sudores. Y eso que no paraba de llover. Qué antipática se había puesto la noche. Y es lo que yo digo: el tiempo, tan asqueroso, siempre se pone del lado de los fachas.

—Ay, qué emoción; el pueblo entero con su rey —decía La Pizqui muy peliculera.

Era dificilísimo. No había manera de ver si estaba pasando algo interesante. Nadie estaba muy seguro de por dónde venía la cabeza de la manifestación. Seguro que iban lentísimos. Habían salido de Embajadores, pero aquello podía no acabarse jamás. Nosotras no habíamos podido pasar del escalestri de Atocha. ¡Cómo estaba el escalestri! Gente por todas partes. Chiquillos subidos en los coches. Chavales encaramados en los árboles. Los balcones de bote en bote, y con banderas. Las bocas del metro estaban taponadas; no había modo de moverse, ni para adelante ni para detrás. Qué multitud. Qué maravilla. A nosotras un taxi —con un taxista medio anarquista y la mar de zumbón— nos dejó en Antón Martín, y tuvimos que bajar andando un trecho más que regular. Pero, después de todo, fue un acierto. La Begum se había negado en redondo a ir en metro, a ella le importaba un higo la recomendación del ayuntamiento, faltaría más. «Quita, titi», decía ella, «si para hacer patria hay que perder las formas, yo me apeo.» Ella es así, pero dice las cosas sin maldad. Dice, a su modo, que la autoridad cuando se emociona es muchísimo peor, que se pone siempre de lo más ordinaria, con un gusto pésimo, incluso una persona tan finísima como el alcalde de Madrid parecía olvidarse de que en esta vida hay gente y gente, por Dios, qué era aquello de pedir que se fuera en metro, hala, todo el mundo en metro, con la de marquesas y de todo que tenía que haber allí. Un gentío. Yo, la verdad, no estoy de acuerdo con La Begum, que no sé de dónde le habrá salido a ella el pedigrí, y en un momento como aquél, menos que nunca. Allí, para defender la democracia y la libertad, todas iguales.

—Ay, niñas, la libertad...

La Soraya se negó a venirse con nosotras. Bueno, la bruja de La Soraya se negó en redondo a ir con cualquiera; esa mujerona es una hiena y una

153

ingrata y para mí ha terminado. Que aprendiese de Nina Copacabana; la brasileña se echó encima lo mejor de lo mejor, y eso que ella normalmente va de incógnito, quiero decir por la vida diaria y más que nada para tantísimo trajín de papeleo como se trae encima —siempre liada con complicaciones del pasaporte, la residencia, el permiso de trabajo; qué agotamiento—, pero la verdad es que la brasileña de incógnito está horrorosa, un esperpento, hay que verla cuando sale de machirula, recién levantada, con sus vaqueros y sus mocasines de Los Guerrilleros en rebajas. Un disfraz. Pero para irse a la manifestación ella se arregló al máximo, se echó encima todo lo de más lujo, que una, como española y demócrata, le agradece muchísimo el detalle, pero fue una temeridad, que aún no me explico cómo no la desvalijaron con tanto barullo, que en los momentos más sagrados, emocionantes y patrióticos siempre aparece algún desaprensivo.

La Peritonitis quería salir con peineta y mantilla —una teja buena, antigua (herencia de una tía solterona) y del tamaño de la Torre del Oro que tiene ella para las ocasiones—, un traje largo de color sangre, que es un color completamente español, y un imperdible con el escudo real en la pechuga, ella más monárquica que nadie. Menos mal que La Pizqui, que tiene mucho ascendiente sobre ella —y no comprendo por qué—, la convenció de que no íbamos de Sagrarios en Jueves Santo, ni a presentar las credenciales al Palacio de Oriente, que no fuese cateta y se pusiese algo sencillito y discreto. Porque La Pizqui será muy locona y más exagerada que ninguna, si se tercia, pero también sabe cuándo se precisa un poco de formalidad y se comporta divinamente, y por eso es una mujer que me cae bien de toda la vida.

—Lo que está en juego es la democracia y la libertad —les advertí a todas, cuando salíamos de casa—. Lo más serio del mundo.

Me emocioné. Servidora se emociona un montón cuando habla de libertad. Y digo yo que la libertad pide un control y un comportamiento, que de lo contrario se vuelve libertinaje. Una es muy clásica para estas cosas.

Claro que tampoco se trataba de ir totalmente de incógnito. Yo creo que eso hubiera sido una cobardía. La gente se tiene que dar cuenta de cómo es una y de que no muerde. La gente tiene que acostumbrarse. Que una puede llevar una vida tan decente como la que más. O tan indecente. Que nosotras no somos ni peor ni mejor. Todas igual. Todas por el mismo rasero. Y es natural que una ponga todo de su parte para estar de lo más favorecida. A La Peritonitis de incógnito da penita verla. Y eso por no hablar de la bruja de La Soraya: blanca como la pared y demacradísima, y andando de un modo de lo más raro, que se quita las pringues y los tacones y es que la cara hasta se le tuerce y bizquea, y cada pie se le va por su sitio; yo no me explico cómo pudo tener tanto éxito como cuenta, cuando iba de hombre por el mundo, que ella da una lata espantosa contando siempre lo mismo de cuando era primer bailarín —guarda millones de fotos— y era rubísimo y guapísimo —lo que se ve en las fotos, la verdad, no es para tanto— y andaba siempre por Oriente con ese ballet sueco que llegó a ser medio suyo, y tuvo cientos de amantes increíbles, y nunca se priva de dar la lista, y como siempre cuenta lo mismo y lleva contándolo desde los tiempos del rey Herodes, y como además nunca se equivoca, pues da el pego y parece que todo lo que cuenta es verdad: todas aquellas invitaciones fabulosas de árabes de ojos de terciopelo —La Begum se descompone de envidia—, riquísimos y una locura de cariñosos. Ahora La Soraya se conforma con bajar al metro cuando va de incógnito, y a lo mejor tiene suerte y le cae a la vera un albañil con ganas de triquitraque. A mí La Soraya nunca me cayó bien, y ahora, después de lo de Tejero y de cómo ella se portó, ya es el colmo, pero por eso no se me ocurriría prohibirle que se preparase a su gusto, que todavía puede darle el pego a quien le vaya ese tipo, porque maña y habilidad para sacar partido de lo poco que le queda nadie puede negárselas.

La Begum y una servidora hace tiempo que

dejamos de tener los problemas de la doble vida. Metimos nuestros últimos ternos en una maleta y allí pueden pudrirse —Dios santo, pensar que por poco tenemos que sacarlos del fondo del ropero...—, allí se pueden quedar como si fueran de unos parientes que se murieron de lo más contagioso que haya. Nosotras tenemos nuestro vestuario completo, naturalmente, un traje o un vestido a propósito para cada ocasión. Y para aquella manifestación tan hermosa del viernes, 27 de febrero, servidora se puso un sastre de corte la mar de sobrio, solapas anchas, hombros un pelín marcados, la chaqueta más bien corta y con un poquito de frunce, la falda cuatro dedos por debajo de las rodillas, y un cinturón del mismo tejido: pura lana virgen, a cuadros príncipe de Gales. Me veía yo irreprochable. Por encima no tuve más remedio que ponerme una gabardina de color burdeos, nada escandalosa, que iba muy bien con el traje y con los zapatos y el bolso negros, unos zapatos y un bolso de batalla, que aquello era una cosa de mucho trote y encima con lluvia. Una no es tan inconsciente como La Begum, que se empeñó en ir de zapato fino de tacón inmenso, y a la media hora ya estaba quejándose de los pies como una descosida; por lo demás, me costó Dios y ayuda convencerla de que se olvidara del pamelón color butano que se quería colocar la tía, porque aquella misma tarde se había pegado cinco horas en la peluquería y no estaba dispuesta a terminar con los pelos hechos un pingo, hasta que al final consintió en ponerse un pañuelo Balenciaga que yo le presté, carísimo, con la condición de que también llevase paraguas, que el pañolito me había costado un riñón y no estaba hecho para aguantar diluvios. De lo demás, La Begum fue discreta, dentro de lo que cabe, con un pantalón de pana gruesa con el bajo de tubo, color salmón, y un jersey ancho, trenzado, de punto gordo, verde aceituna. Lo que no pude evitar fue que se colocara un chubasquero que ella tiene, una de esas moderneces espantosas, sicodélicas, arrugadísimas, pero que por fortuna tiene un color muy sufrido y de noche y con el alboroto podía tener un pasar.

—Ahí van las del Grupo Mixto —dijo un gracioso con barba.

Había de todo. Estaba desde luego la progresía al completo, que a muchas me las conozco yo porque no se pierden ni una, pero después andaban por allí, empujando como desesperados, ejemplares increíbles, señoronas repletas de visones, tipos con pinta de acabar de salir de un importantísimo consejo de administración, artistas del cine de esos que siempre se visten de proletarios cuando hay una movida callejera. Un castizo cincuentón, comunista de los de toda la vida, rajaba una barbaridad del batiburrillo de gente que había allí armado, pero de vez en cuando se marcaba unos vivas al rey que se tenían que oír hasta en La Zarzuela. Todo aquel gentío se movía poco a poco en dirección a la Plaza de Neptuno, hacia la plaza de las Cortes, por las dos calzadas del paseo del Prado, que una no sabía bien si la cabeza de la manifestación, con todos los políticos de postín codo con codo, iba por la parte del Museo o por la parte de los Sindicatos, y además no había manera de enterarse. Hasta que aparecieron las camionetas de la radio y de la tele y por poco nos matan con aquello de que todo el mundo quería ver a Fraga o a Felipe o a Carrillo, según la cuerda de cada cual.

—¡Un aplauso para la prensa!

Y la gente aplaudía como loca.

—¡Un aplauso para la televisión!

Y todo el mundo entusiasmado con la televisión, y eso que las de Prado del Rey tampoco hicieron nada del otro mundo, que lo importante de verdad lo hizo una cámara por su cuenta, dispuestísima, hasta que los energúmenos aquéllos la descuajaringaron.

—¡Un aplauso para la radio!

Y ellos sí que se merecían la ovación más grande del mundo, qué forma tan divina de trabajar, que si no es por ellos se podía haber armado la de San Quintín, miedo da pensar lo que hubiera sido si todo el mundo se hubiera liado aquella noche a contar las cosas a su modo. Las de la radio estuvieron de película.

Qué hermosura. Yo creo que en muchos sitios la lluvia ni siquiera conseguía llegar al suelo. La Peritonitis empezó de pronto a decir, con muchísimo agobio, que a ella se le estaba acabando la respiración, y si no llega a ser por la apretura le pego un bofetón allí mismo para que se le quitase la histeria; La Pizqui tuvo que llevársela para un sitito más despejado, y a partir de ahí las perdimos a las dos. La Begum me miraba todo el rato con una cara de sufrimiento que no parecía demasiado falsa, pero yo le gritaba con muchos ánimos:

—¡Ay, niña, la libertad!

Allí estábamos todas. Protestando por lo del 23 de una manera preciosa. Cantando a coro aquello tan emocionante de: «Demo-cracia-sí-; Dicta-durano...». Yo notaba un sofoco que no era sólo del calor y de los apretujones, sino de la alegría misma. De vez en cuando me clavaba alguien una rodilla en las corvas y yo pensaba: «Si me caigo aquí, perezco». A ratos había una sacudida grande de gente sin que se supiera muy bien por qué, y una tenía que andarse con muchísimo tiento, porque lo mismo aparecía, sin saber cómo, cabeza abajo.

—¡Ahí vienen! ¡Ahí vienen! —gritó un chiquillo sentado en los hombros de su padre.

Yo, por más que hice, sólo pude verlos de refilón. Qué cosa más espectacular. Una cosa de sueño. Que te la cuentan y no te la crees. Las españolas somos así. Divinas. Allí estaban todas, cogidas del brazo como amiguísimas de toda la vida. Llevaban una pancarta enorme, de acera a acera, pero lo que decía sí que no lo pude leer. Todas tenían una cara de satisfacción que, si se las ven, se les sube el pavo. Casi ni podían seguir, sobre todo cuando llegaron a Neptuno, que fue cuando yo pude ver un poquito mejor aquella macedonia de políticos. Políticos surtidos. Una ocasión histórica. En teoría, todos los políticos de la cabeza de la manifestación tenían que llegar a la tarima que habían montado delante de las Cortes, entre los leones, pero menos mal que lo dejaron por imposible. No había manera. No se podía dar un paso. Servidora estaba aparcada entre un morenazo buenísimo y una tiarrona forrada de astracán y con cara de estanquera de Cuatro Caminos. A mí me parece que el morenazo arrimaba el codo un poco más de la cuenta. Yo, feliz. La Begum, pobrecita mía, lo tenía peor, rodeadita por una caterva de dependientas del Sepu.

—Atención, por favor...

Los altavoces funcionaban fatal. Como siempre. Yo no sé qué pasa, pero no hay un mogollón organizado por el rojerío donde los altavoces funcionen como está mandado. Debe de ser culpa de la electricidad. Para mí que la electricidad es tan facha como el tiempo. La gente siseaba pidiendo silencio, pero es que no podía ser. La Mateo, la chica ésa tan mona del telediario, iba a leer un discursito, que me supongo que era la forma de terminar. No había manera de enterarse. La Mateo empezó a leer y ponía muchísima ilusión, que eso se nota siempre, aunque los altavoces se empeñaban en no colaborar. A la Mateo se le oían a pedazos cosas preciosas, y la gente aplaudía cuando nombraba algo importante. Yo estaba a gusto. Ay, comenzaba a darme cuenta de que al morenazo se le empezaba a alterar la respiración. Me dejaba yo caer un poquito y él apretaba un poquito más. Me puse a mirarle de reojo; no por nada, sino porque casi no podía menear la cabeza. El morenazo empezó también a mirarme y sonreía. La Mateo terminó de decir cosas divinas y acabó dando vivas al rey, a la democracia, a la libertad y a España. Mi morenazo tenía una voz preciosa, de barítono. Me encanta la voz de barítono. Por los altavoces, con muchísima educación, pedían que el gentío se disolviera con orden, con tranquilidad. Había una felicidad de todos, flotando en el aire húmedo de la noche. Qué maravilla. ¿Quién dijo miedo, muñecas? Yo seguía pegada como una lapa a mi morenazo, y eso que poco a poco se iban abriendo huecos por todas partes. ¿Quién dijo miedo? Una mala noche la tiene cualquiera... La Begum y Nina Copacabana me miraban muertas de envidia; acabaron cogiéndose del brazo y marchándose despacito para Cibeles. Cada dos pasos volvían la cabeza. Yo sé lo que me estaban diciendo con los ojos: «Zorrón, grandísimo zorrón». Yo, ni inmutarme. Servidora es así:

independiente, liberada, moderna. Y más demócrata que nadie.

—Tengo el coche a espaldas de Correos —me
dijo por fin mi morenazo, cogiéndome por el
talle—. Te llevo a donde quieras.

A mí me entró un escalofrío, y le eché a mi
morenazo los brazos al cuello, y le dije bajito, para
él solo:

—Ay, niño, qué rica es la libertad...

Últimos Fábula

126. El orden del discurso
Michel Foucault

127. Malena es un nombre de tango
Almudena Grandes

128. Bajo el volcán
Malcolm Lowry

129. Cuando el hombre encontró al perro
Konrad Lorenz

130. La lentitud
Milan Kundera

131. El juez y su verdugo
Friedrich Dürrenmatt

132. Por último, el cuervo
Italo Calvino

133. Contra las patrias
Fernando Savater

134. Una chica cualquiera
Arthur Miller

135. El contexto
Leonardo Sciascia

136. Escribir
Marguerite Duras

137. Fuego de marzo
Eduardo Mendicutti

138. Oración por Owen
John Irving

139. Diario de un killer sentimental
seguido de *Yacaré*
Luis Sepúlveda

140. Hannah y sus hermanas
Woody Allen

141. La viuda Couderc
Georges Simenon

*142. Los cornudos
del viejo arte moderno*
Salvador Dalí

143. El arte de la novela
Milan Kundera

144. De jardines ajenos
Adolfo Bioy Casares

145. Las normas de la casa de la sidra (Guión)
John Irving

146. Recuerdos
Woody Allen

*147. Sobre el porvenir
de nuestras escuelas*
Friedrich Nietzsche

148. El atentado
Harry Mulisch

149. El nacimiento de la filosofía
Giorgio Colli

150. Los «Drácula»
Vlad Tepes, el Empalador, y sus antepasados
Ralf-Peter Märtin

151. El lugar del hijo
Leopoldo María Panero

152. La muerte de Belle
Georges Simenon

153. Mientras nieva sobre los cedros
David Guterson

154. Patagonia Express
Luis Sepúlveda

155. La última noche que pasé contigo
Mayra Montero

156. Imágenes
Ingmar Bergman

157. Yo, Pierre Rivière...
Michel Foucault

158. Los papeles de Aspern
Henry James

159. El mágico aprendiz
Luis Landero

160. El primer trago de cerveza
y otros pequeños placeres de la vida
Philippe Delerm

161. Barrio negro
Georges Simenon